NOOIT
  KOMEN
  RAMPEN

Martin

van

Amerongen

Nooit

komen

rampen

Artikelen

METS & SCHILT
AMSTERDAM

ISBN 90 5330 326 X

NUGI 320

TEKSTCORRECTIE
Sjoerd de Jong

OMSLAGONTWERP
Jona Rotting en Victor Levie

AFBEELDING OMSLAG
James Ensor (1860-1949): *Zeldzame maskers* (1892)
Olieverf op doek; 100 x 80 cm.
Musées Royaux de Beaux Arts, Brussel

AUTEURSPORTRET
Constance Wibaut
Sudie voor een portretbuste (2001)
Tekening; 30 x 20 cm.
Collectie I.L.S. Alfons, Amsterdam

ZETWERK
MMS Grafisch Werk, Amsterdam

DRUK
Haasbeek, Alphen aan den Rijn

INHOUD

I
LEED & ELLENDE I

De man lag, door twee agenten in bedwang gehouden, met zijn buik op perron 2b en riep radeloos: 'Wat willen jullie van me!' Ja, wat wilden wij, gegeneerd toekijkende omstanders? Dat hij ons niet, verluisd en verloederd, dronken en agressief, lastig zou vallen. Vandaar dat die agenten op vreedzame wijze boven op hem waren gaan zitten, een van de weinige voorbeelden van zinvol geweld die ik kan bedenken, een vorm van geweldvertoon – de enige – die het prerogatief van de overheid is.

Zinloos geweld is de specialiteit van de halfvolwassenen die in de avonduren plegen te gaan stappen tot zij niet meer op hun benen kunnen staan, om vervolgens, aangevuurd door drugs en drank, een willekeurige voorbijganger het leven uit het lijf te schoppen.

Bram Peper, de gewezen minister van Binnenlandse Zaken (1998-2000), heeft erop gewezen dat de slachtoffers van het zinloze geweld getalsmatig verre worden overschaduwd door de gewelddadigheid in huiselijke kring, om maar te zwijgen van de verkeersdoden die dagelijks uit hun Audi's en Mercedessen worden gezaagd. De vergelijking gaat, lijkt mij, niet helemaal op. Bij het huiselijke geweld kunnen wij ons iets voorstellen (Each man kills the thing he loves), net als bij het macho-gedrag langs 's Heren snelwegen. Maar wat beweegt de mens zonder enige reden een medemens te lijf te gaan? Het is een probleem dat zich niet wegrationaliseren laat. Gisteren overkwam het u en morgen overkomt het mij, en intussen zitten de oudjes onder ons te sidderen achter de geraniums.

Het is een onderwerp waarover het goedwillende deel der natie een uniforme mening heeft, die inmiddels voornamelijk tot vrome voornemens en tamelijk vrome poëzie heeft geleid.

9

Bijvoorbeeld:

Waarom?
Omdat ik de moed had er wat van te zeggen.
Waar ben ik veilig?
Kan iemand mij dat uitleggen?
Zinloos.
Waarom die woede?
Ik kwam alleen maar op voor het goede.

En:

Verlies je niet in geweld,
Dat heb je toch al verloren.
Dat spel kent geen winnaars;
Dat weet je van tevoren.
Het gaat hier niet om scoren
En niemand is de held.
Wat is er nou zo tof aan geweld?

De vraag is natuurlijk: Hoe stoppen wij zinloos geweld?
Geen deelnemer aan de televisiediscussie die het antwoord wist, niet die wijze kinderrechter, niet die jofele politieman, laat staan het hartbrekend uit zijn bruine oogjes kijkende boefje van zeventien dat eerst een voorbijganger een kaakbreuk had geslagen en veertig pilsjes later een tweede voorbijganger een paar ribben had gebroken. Zo'n kind stop je niet in de cel, als er al toevallig een cel leeg zou staan. Zo'n kind geef je een taakstraf. Helaas had de kleine baas geen zin gratis en voor niets de plee te schrobben in verpleeghuis Vreugde & Rust, zodat de met het geval belaste sociaal werker besloot hem een leerzaam opstel te laten schrijven. Over zinloos

geweld. De rekel begaf zich naar de openbare leeszaal en kopieerde in zijn netste handschrift een hoofdstukje uit het jaarboek van Amnesty International. De sociaal werker telde de velletjes, gooide het geschrevene ongelezen in de prullenbak, waarna de schrijver na een vermaning naar huis werd gezonden. De jongen was tijdens een tv-uitzending ons aller lieveling, maar een echt geresocialiseerde indruk maakte hij niet.

Het vraagstuk van het zinloze geweld achtervolgde mij zelfs tot in het Muziektheater in Amsterdam, waar Igor Stravinsky's *The Rake's Progress* in première ging. De opera is geregisseerd door Peter Sellars, een kunstenaar die zelfs in staat is Hans en Grietje te transformeren tot een bittere aanklacht tegen de Amerikaanse samenleving. Dus speelt *The Rake's Progress* in een Californische gevangenis die met zinloos geweld door een stel sadistische knuppelaars wordt geregeerd. Tekst en vertoning zijn zo fundamenteel tegenstrijdig dat er twee verhalen tegelijkertijd worden verteld, alsof je zowel de radio als de televisie aan hebt staan. Gelukkig duurde de voorstelling slechts drie uur. De conclusie is duidelijk: voor een maatschappelijk relevant antwoord op de vraag wat er tegen het zinloze geweld kan worden gedaan, moeten wij niet op het Waterlooplein zijn. Haast iedereen in het publiek was ontstemd – dat kan nooit kwaad –, behalve de hoeraroepende nichtenclaque (die knap irritant begint te worden, het is zonde dat ik het zeg).

In het café, een huizenblok verder, zitten v, x, y en z, geleerde en cultureel bevlogen mannen, die zich toevallig eveneens in een discussie over het zinloze geweld hebben begeven. x, socioloog én psychoanalyticus, heeft een interessante theorie. Het is een kwestie van kijken, zegt hij. De crimineel in spe komt totaal opgefokt de disco uit, met een lijf vol rotzooi en onverwerkte agressie. Eén afkeurende blik, van wie dan ook, is voldoende om het mechanisme te ontsteken dat tot moord en doodslag leidt. Waarachtig! Had *de Volkskrant* diezelfde morgen niet bericht over de elfjarige jongen bij het stoplicht die met de woorden 'Wat kijk je raar naar me!' in elkaar was geramd? En was Kerwin Duinmeijer niet doodgestoken omdat hij 'zo vies' naar zijn aanstaande moordenaar zou hebben gekeken?

Zinloos geweld, hoe stoppen wij het? Door, alvorens in de buurt van het Rembrandtplein een glaasje te gaan drinken, de ogen op blanco te zetten, ongeacht het jaargetijde verscholen achter een donkere zonnebril. Het allerbest blijft het Rembrandtplein links te laten liggen en je vreedzaam vol te laten lopen in het buurtcafé.

De gebeurtenissen troffen mij midden in een ongewone aanval van voorjaarslusteloosheid die mij tot enige bedrust noopte. Toen volgden de gebeurtenissen elkaar snel op. Bernhard begon op het randje van de dood te zweven en in Enschede was een complete woonwijk de lucht in gegaan. Ik was onmiddellijk genezen en herrezen, zonder dat er een arts of psychotherapeut aan te pas was gekomen. Opgewekt wandelde ik in de richting van de arbeidsplaats. Fluitend schreef ik een uitgebreid, inmiddels alweer verouderd, in memoriam voor de prins, ondertussen met een half oog via het televisiescherm de zoveelste herhaling van de ontploffing volgend.

Wat mij betreft mag Bernhard 102 worden, en ook de Enschedeërs gun ik alle goeds. Ondanks alle rampspoed zie ik trouwens terug op mooie dagen. Het verschijnsel ramp heeft zijn eigen dynamiek, die losstaat van elke vorm van appreciatie of disappreciatie. Hoe beroepsgedeformeerder de betrokken journalist, hoe groter de kans op een behoorlijke kwaliteit verslaggeving. Hoe meer bloed er vloeit, hoe meer de adrenaline bruist. Een journalist bloeit op in rampgebieden, als klaprozen op de slagvelden van Verdun.

Het leidt niet zelden tot macaber aandoende redactionele conversatie. 'Jazeker, Bernhard is klaar, tweeëndertighonderd woorden. Dat is dus vier pagina's. Met Van der Goes van Naters als alternatief, als Bernhard tóch nog het weekeinde haalt. Laten wij hopen dat hij op een beetje weekbladvriendelijk tijdstip sterft, want volgende week is de sjeu er enigszins af.' Het lijkt triviaal beroepscynisme, maar in werkelijkheid is het een vorm van professionele calculatie die niets te maken heeft met particuliere sentimenten.

Particuliere sentimenten zijn voor bruiloften en begrafenissen, niet voor het journalistieke veldwerk. Ik herinner mij de Olympische Spelen in München, in 1972, waarop enige Palestijnse vredesduiven in het kader van de olympische gedachte driekwart van de Israëlische equipe liquideerden. Van het ene moment op het andere moesten de sportverslaggevers plotseling écht journalistiek werk verrichten. Snotterend stonden zij op het vliegveld Fürstenfeldbruck en stamelden in hun microfoon dat het ze allemaal te veel werd. 'Ik kan het niet, woorden schieten tekort, ik wordt door emoties overmand.' Gelukkig voor hen besliste het Olympisch Comité even later dat de show koste wat het kost door moest gaan, zodat de verslaggevers, met een laatste trilling in de stem, weer in de vertrouwde routine konden terugvallen. Is het niet ongelooflijk, waarde kijkers en luisteraars! De hardloopster x heeft de vierhonderd meter eentiende seconde sneller gelopen dan y en is daarom ten overstaan van een uitzinnig stadion met goud behangen! En nu terug naar Hilversum... De situatie was genormaliseerd. Niettemin was ik toen al van mening dat het beter was geweest de betreffende nieuwsjagers naar de nos-administratie te degraderen.

Professionaliteit verdraagt geen emoties, zelfs niet op terreinen die primair op emoties drijven. Geen emotioneler opera dan Puccini's *Tosca*, waarin alle hoofdfiguren sterven: de schurk wordt neergestoken, de schilder wordt geëxecuteerd en de diva springt van de torenschans. Drie bedrijven lang heeft zij het publiek met een aantal gepatenteerde tranentrekkers geconfronteerd. 'Vissi d'arte, vissi d'amore...' Op de repetitie had zij een brok in de keel. Ze bleef halverwege de aria steken, volkomen door haar gevoelens overmeesterd. De betreffende diva deugt dus niet voor haar vak. Het is haar taak niet om in authentiek gesnik uit te barsten, het is haar taak ervoor te zorgen dat het publiek na afloop door tranen verblind de weg naar de parkeerplaats zoekt. Of de rampen zich nu op de plankieren voltrekken of in de schaduw van een ontplofte vuurwerkfabriek, de scheiding tussen professionaliteit en amateurisme dient scherp te worden afgebakend.

Ook in Enschede is het niet altijd even goed gegaan, getuige het feit dat menige cameraman zo aangedaan was dat hij moeite had zijn lens op scherp te zetten. De tv-verslaggevers/sters hadden echter vanuit Hilversum de duidelijke instructie meegekregen zich zoveel mogelijk te beheersen, waardoor het vertoonde soms in de omgekeerde richting doorschoot. NOS-Journaal. Kinderen op het schoolplein. Een van hen, een meisje van acht, had haar vader verloren, een brandweerman die bij de uitoefening van zijn taak is omgekomen. Het kind beantwoordde de vragen van de verslaggeefster zonder schroom. 'Voor mij was mijn vader een held,' sprak zij, geheel in het jargon van de soapserie *Goede tijden, slechte tijden*. Het verliep allemaal zo discreet en smaakvol dat je dáár ook weer misselijk van werd, afgezien van het feit dat de cameraploeg in zijn zelfbewierokende ingetogenheid de belangrijkste vuistregel uit het oog had verloren: laat de nabestaanden – laat staan de kinderen van de nabestaanden – met rust; hun leed en ellende lenen zich niet voor openbare vertoning.

De winnaars waren andermaal de snel en koel registrerende Duitsers, al wordt het wel tijd dat iemand ze leert de naam Enschede ('Ensjedee') correct uit te spreken. Zij leverden bovendien in recordtempo hun eigen rampenbestrijders en zetten zonder omwegen de deuren van hun ziekenhuizen open. Daarnaast werd in de Duitse randgemeenten een bedrag van drieënhalve ton aan steun ingezameld, terwijl aan onze zijde van de grens (bijvoorbeeld) de provincie Limburg op slechts een luizige vijfendertigduizend gulden bleef steken. Zijn ze daar onder het bronsgroen eikenhout nog altijd de kosten van hun eigen ramp, de overstroming van een paar jaar geleden, aan het afbetalen?

Het schiet met bliksemkracht in het gedeelte waar het boven-
lichaam in het onderlichaam overgaat. Gekromd als de Heks van
de Achterweg strompel je door de binnenstad, met veel gepuf en
gekreun, en iedereen heeft, al je ellende ten spijt, het grootste plezier van de wereld. Want jij hebt spit en zij hebben geen spit, en
het begrip spit wordt sowieso geassocieerd met enigszins morsige,
middelbare bejaarden die hinderlijk veel de wijsheid in pacht hebben gehad.

Ooit schreef ik een boek over een Duitse dichter en denker die
bij leven en welzijn ongewoon ziek is geweest. Krampen en con-
tracturen in de rechterarm en de ruggengraat. Gehoorstoornissen,
speekselvloed en de hik. Moeilijkheden met kauwen, slikken en
kussen. Het innemen van voedsel werd een puur technische aangelegenheid. 'Alles wat ik eet, smaakt naar aarde.' Blaas en endel-
darm functioneerden slechts partieel. De rug van de patiënt bevatte vier open brandgaten, waarin door de heren medici een erwt
werd gestopt om de ettervoorraad op peil te houden. Zo lag hij te
creperen op zijn 'matrassengraf', in een ellendige situatie die zelfs
zijn ergste vijand hem niet zou hebben toegewenst. Acht jaar lang,
tot God hem eindelijk genadiglijk vergunde te mogen sterven.

Dus wat heb ik eigenlijk te klagen? 'Tja. Spit. Ik fax wel wat
spierverslappers naar je apotheek. Maar hou er rekening mee: er
staan zeker acht dagen voor,' sprak mijn huisarts.

De eerste drie dagen is het onmogelijk het bed te verlaten, voornamelijk omdat er een onzichtbaar individu in de slaapkamer aanwezig is die je bij de eerste de beste onberaden beweging een mes
tussen de wervels steekt.

Naast het hoofdkussen staat een spierverslapper van een werkelijk excellent jaar en er is nu niets of niemand meer die mij van het lezen van Iain Pears' alom aanbevolen intellectuele thriller *Het Goud van de Waarheid* kan weerhouden. Voor alle zekerheid neem ik een stijlproef. Pagina 150. De hoofdpersoon, een Italiaan die iets geheimzinnigs in het Elizabethaanse Engeland onderneemt, gaat naar de schouwburg. Het drama blijkt een regelrechte aanslag op de toneeldramatische waarden die Aristoteles ons heeft bijgebracht, constateerde de Italiaan teleurgesteld. Wat een warboel! En dat geweld! 'Joost mag weten hoevelen er in dat stuk over de kling zijn gejaagd; naar mijn mening verklaart het volkomen waarom de Engelsen zo berucht zijn om hun gewelddadige inslag, want hoe zouden ze ook anders kunnen zijn wanneer zulke stuitende voorvallen als verstrooiing worden gebracht? Zo worden een edelman ten tonele bijvoorbeeld de ogen uitgestoken – zomaar, voor de ogen van het publiek, en op een manier die niets aan de verbeelding overlaat.' Dat belooft wat, behalve voor de patiënt die onder zijn omstandigheden onmogelijk een boek van 720 pagina's (twee kilo) in de hand kan houden. Ik zucht (au!) en grabbel vergramd naar het ochtendblad (twee ons).

Dan is het mogelijk het bed te verlaten, zij het onder adembenemende omstandigheden. Ik begeef me naar de fysiotherapeute. Zij legt mij, al knijpend en knedend, uit dat de mens, anders dan zijn oudoom de aap, ooit het hooghartige besluit heeft genomen zich niet op handen en voeten, maar rechtstandig voort te bewegen. Dat is dom en onnatuurlijk, maar het valt inmiddels zonder gezichtsverlies niet meer terug te draaien. In de wachtkamer ligt een oude *Donald Duck*. Het openingsverhaal beschrijft hoe Dagobert Duck een boek over zijn Handel & Wandel uit de boekenkast plukt. 'Pffft, wat is dat boek zwaar, zeg. Auauw! Mijn rug! Een aanval van spit! De waarheid is hard en pijnlijk. Ik ben niet meer de krachtige knaap uit mijn jonge jaren.'

Omdat een mens niet alleen moet kreunen maar ook moet eten, laat ik me per taxi naar het Chinese restaurant vervoeren waar de verjaardag van de bedrijfsleider wordt gevierd. Georganiseerd door mijn vriend T., die net wat meer problemen heeft dan ik, geen spit, maar een lichte hersenbloeding zodat hij de stoel niet meer uit kan. De bijeenkomst is op de bovenste etage. Ik strompel betrekkelijk probleemloos de vier trappen op. T. heeft op zijn beurt vier boom-lange Hell's Angels aangetrokken, die hem met kar en al naar boven slepen. Het blijkt toch nog een hele toer. En hoe moet het straks, bij de afdaling? 'Dat doen wij dan als volgt…' zegt Big Benno, en slingert mijn schrale gestalte bij wijze van illustratie over zijn ka-merbrede rug. Even denk ik dat ik sterf. Dan ebt de spit plotseling weg. Ik schijn zelfs, tegen elke medische logica in, nog met de jarige te hebben gedanst, de samba of de rumba of de mamba, ik weet het niet meer, want er is die avond op Chinees-genereuze wijze vijf-sterrencognac geschonken.

De ideale fysiotherapeutische benadering is het niet, blijkt als ik 's anderendaags hoepelgewijze een stuk probeer te schrijven over het vraagstuk hoe het nu verder met de wereld moet. De buurman is begonnen zijn huis te verbouwen, muzikaal begeleid door Radio Noordzee. Ook heb ik van achter het raam een mooi uitzicht op het chemisch toilet waar de verbouwers zich tussen het herriema-ken door krachtig ontlasten. De stemming op de werkvloer is op-perbest. 'Spitten, John, met je luie donder!'

Maar er moet, spit of niet, worden gewerkt. Dus naar de Toneel-schuur, in Haarlem, waar Thomas Bernhards *De Wereldverbeteraar* wordt opgevoerd. Deze wereldverbeteraar is een van die aarts-querulanten waarin de schrijver was gespecialiseerd. De schok der

herkenning: die arme man heeft óók spit. Dat zie je aan de deer-
niswekkende wijze waarop hij zich aan een paar bibberende pasjes
waagt. 'Ai! Wat een pijn!' Daarnaast blijkt hij gebukt te gaan onder
oorsuizingen, gehoor- en gezichtsstoornissen, bevende handen,
bevende voeten, chagrijn, een ontredderd verstand, voornamelijk
onder de slechte invloed van de filosoof Schleiermacher, het alge-
heel verval van lever en nieren, een blaas die 's nachts niet meer wa-
terbestendig is en de permanente vrees dat hem binnenkort een
been zal worden afgezet. Inderdaad, wat heb ik te klagen, met die
rug van me? Kanker lijkt me erger. Fluitend hijs ik me in mijn jas.
Met dansante pas begeef ik me in de richting van het station. Ha,
morgen eindelijk weer naar jazzballet!

Zou iemand in Amsterdam zich nog mijn oudtante Lien herinneren? Zij was, toen ik nog een jongeman was, al hoogbejaard. Daarnaast was zij helder als glas en hard als een spijker. Niet tegen mij. Ik was haar lievelingsneef, want ik had postuum respect voor Louis Bouwmeester, een acteur 'van wie ik geen voorstelling heb gemist', zoals Lien mij verzekerde.

Als oprichtster van de Amsterdamse Kunstkring speelde zij jarenlang een dominerende rol in het hoofdstedelijke culturele leven. Totdat zij wat al te oud werd en zich terugtrok in een kamertje in het A.H. Gerhardhuis. Ooit organiseerde zij de komst van de jonge Yehudi Menuhin naar Nederland. Nu organiseerde zij de jaarlijkse herdenking van de Februaristaking, waarbij honderd bejaarde socialisten met wapperende stembanden het *Wilhelmus* ten gehore brachten. Ik ging af en toe met haar naar het toneel, om daar getuige te zijn van het tafereel van een wijze, joodse vrouw (90) die de krullen aaide van de toneelcriticus Jan Willem Hofstra (75), die met haar vergeleken een groentje was.

Zij heeft nog moeten meemaken dat haar zoon Willy haar kwam vertellen dat hij niet meer lang te leven had. Toen hij dood was, gingen Anneke en ik onmiddellijk naar haar toe. Zij was, tussen het rouwen door, druk bezig al die jammerende ouwe wijven van de deur te houden.

'Klara,' snauwde Lien, 'als ik hier niet sta te janken, zie ik niet in waarom jij dat wél zou doen.'

'En Lien,' vroeg Anneke, 'wanneer wordt Willy begraven?'

'Overmorgen. Hij wordt trouwens niet begraven, maar gecremeerd.'

'En waar?' vroeg ik.

'In Westerbork', zei Lien.

Anneke en ik keken wat schuw langs elkaar heen. Wij waagden het niet de vrouw te corrigeren wier leven door oorlog en joden-vervolging getekend was.

Even later stierf ook zij. 'Ik heb nu wel lang genoeg geleefd,' sprak ze kordaat vanaf haar ziekenhuisbed. Ze stelde haar lichaam natuurlijk ter beschikking van de wetenschap.

Ik had tot op dat moment weinig verstand van de dood. De eerste (en laatste) dode die ik had gezien was mijn grootmoeder, via een foto in haar kist, die door een glasplaat was afgedekt. Wacht even! Ik vergeet Piet de Schildpad, die plotseling niet meer bewoog, waarna de familie hem een eerlijk zeemansgraf heeft bezorgd vanaf de brug over de Nieuwe Prinsengracht.

Dood en verderf hebben mij altijd gefascineerd, voornamelijk als cultureel fenomeen, van de ongelukkige Violetta Valéry in *La Traviata* tot de macabere graaf Dracula. De daadwerkelijke confrontatie bleef mij echter bespaard. Dus besloot het lot dat ik iets in te halen had. Anneke en ik zaten in een café tegenover het Centre Pompidou, toen zij vertelde dat zij sinds een paar weken van die rare visioenen had. Het waren grote, helderwitte vlakken, met een sereen karakter, of je naar een soort maanlandschap keek. Onaangenaam waren die visioenen eigenlijk niet. Toch leek het ons verstandig om het verschijnsel aan een deskundig iemand voor te leggen.

Er werd een hersenscan gemaakt, die in zo'n klassieke gaatjes-envelop werd gestoken, waarmee wij ons naar de neuroloog begaven.

'Draag jij het maar,' zei Anneke. 'Anders heb ik het gevoel dat ik met m'n doodvonnis onder m'n arm loop.'

'Doe niet zo eng!' zei ik.

Gedrieënlijk – zij, de neuroloog en ik – bekeken wij het materiaal. Het was een tumor, een andere conclusie was niet mogelijk. Anneke, die verpleegster is geweest, stelde een paar ter zake doende vragen. Vervolgens pakte de neuroloog de telefoon en begon iets te regelen. Op weg naar de auto zei ik: 'Gelukkig maar het dat een tumor is. Ik was even bang dat het kanker zou zijn.'

'Dokter Pipi,' zei Anneke, 'een tumor is kanker.'

Daarna begonnen de sterfgevallen zich in mijn omgeving in een tumultueus tempo te ontwikkelen. Ik ging naar de begraafplaats Zorgvlied met de routine waarmee men naar de kapper gaat, de kraaien sloegen mij familiair op de schouders en de begrafenisondernemer was inmiddels een huisvriend geworden.

Het meest curieus onder de sterfgevallen was het overlijden van mijn moeder. Mijn tirannieke en bangelijke vader had haar een leven lang tot vakanties in Hoenderloo respectievelijk Benidorm gedwongen. Nu was hij dood, zodat ik besloot haar op een weekje Wenen te trakteren, inclusief een luxehotel, onbetaalbare restaurants én een *Zauberflöte* in het Wiener Wald. Per rolstoel krukten wij haar na afloop het vliegtuig in, waarin zij een kwartier later op drieduizend meter hoogte een hartaanval kreeg. Wij vielen nog officieel onder de Oostenrijkse jurisdictie, zodat het vliegtuig gedwongen was naar Wenen terug te keren. Maar iedereen was lief en medelevend en de grondstewardess die mij opving, met zo'n kruisje om haar hals, was een ware engel der barmhartigheid, die mij bij het afscheid toewenste dat God mij mocht behouden en beschermen. Opeens was ik voor mijn doen enigszins in tranen en nam me voor de zoveelste keer voor om het schelden op christenen tot de noodgevallen te beperken.

Nu ben ik zelf aan de beurt (kanker aan de slokdarm), zij aan zij met mijn zuster (borstkanker), want 'nooit komen rampen eenzaam als verspieders', zoals William Shakespeare zei. Met mijn zuster gaat het inmiddels een stuk beter. Mijn aandoening is echter inoperabel. Ik ben er trouwens tamelijk rustig onder, al had ik graag nog een paar jaar langer geleefd. Wel was het nogal moeilijk het mijn kinderen te vertellen.

II
AUTOBIOGRAFISCHE FRAGMENTEN

Na 's middags de verfilming van Bordewijks *Karakter* te hebben gezien, herlas ik 's avonds het gelijknamige boek. Het enige dat mij niet beviel, zowel in de film als in de roman, was het archetypische beeld van de deurwaarder, de harteloze A.B. Dreverhaven. Ik sluit niet uit dat er in het Rotterdam van de jaren dertig zo'n individu heeft rondgelopen. De schrijver schildert hem als 'het zwaard zonder genade voor iedere schuldenaar die hem in handen viel'. Met ware wellust ontfermt hij zich over het schamele huisraad der vernederden en vertrapten. Want 'de executie was zijn lust en leven, het beslag leggen, de publieke verkoop, de ontruiming, het opensteken van sloten, het vermeesteren van inhuizige versperringen, het bij hun kraag vatten van de schuldenaars om ze op te brengen naar het huis van bewaring ter gijzeling, dat alles in naam der Wet, in naam des Konings, in naam van de Hoogste God, het Geld'.

Het zal allemaal wel waar zijn geweest. Het zijn echter verhalen uit de oude doos. Tegenwoordig wordt de beroepsgroep van deurwaarders gevormd door vriendelijke, sociaal bewogen mensen, belast met de zware maar noodzakelijke opdracht een brug te slaan tussen schuldenaars en schuldeisers.

Het is een materie waar ik enigszins verstand van heb omdat ik als jongeling, halverwege mijn twaalfde ambacht en dertiende ongeluk, een jaar of twee in de wereld van exploten en dwangbevelen heb doorgebracht. Mijn patroon was een middelbare heer met een wijsgerige inslag. 's Morgens en 's middags ontving hij de schlemielen die ooit voor ƒ 11,50 een truitje bij het postorderbedrijf Wehkamp hadden gekocht, een bedrag dat zij vervolgens verzuimd hadden te voldoen. Na de zoveelste aanmaning stonden zij bij de overheid voor ƒ780,75 in het krijt, want elke officiële poging hen tot betaling te bewegen kostte (en kost nog steeds) een burgermanskapitaal. Jammerend meldden zij zich ten kantore, vol onbegrip waarom zij opeens een bedrag moesten betalen dat zo ongeveer het dertigvoudige van de oorspronkelijke koopsom omvatte.

Mijn deurwaarder legde het geduldig uit en trof vervolgens een humane regeling, die varieerde van tien tot tweeënhalve gulden per week. Bleef de voldoening van de schuld alsnog uit, besloot hij zuchtend alsnog tot beslaglegging over te gaan en trok tegen etenstijd, het moment dat de meeste mensen thuis zijn, in gezelschap van twee getuigen (twee van zijn klerken, waaronder ik) de volkswijken in, want klanten in de P.C. Hooftstraat en de Apollobuurt waren schaars.

Terwijl mijn deurwaarder sussend de schuldenaar aan de praat hield, er intussen zorgvuldig op lettend of er geen bijl achter de deur stond, was het de taak van de getuigen achteloos door de schamele vertrekken te dwalen om het huisraad (de televisie, het gasfornuis, het zitmeubel, de wenende zigeunerin boven het wandmeubel) in een geniepig opschrijfboekje te registreren. Ten burele kregen wij, de getuigen, enige judaspenningen als beloning. De voornoemde schlemielen stonden veelal om negen uur op de stoep van het deurwaarderskantoor, waarna alsnog een afbetalingsregeling werd getroffen.

Soms lieten zij helaas verstek gaan. Dan besloot mijn deurwaarder met bezwaard gemoed dat er moest worden geëxecuteerd. Ik heb het in de tweeënhalf jaar van mijn klerkenloopbaan vier, vijf keer meegemaakt. In gezelschap van de twee getuigen (waaronder ik) en een getipte opkoper ging het huisraad voor ramsjprijzen van de hand. Vijfenzeventig gulden voor de televisie. Vier tientjes voor het gasformuis. Het bed, inclusief beddengoed, lieten wij ongemoeid. Het stond elke aanwezige, ook de getuigen, vrij een bod op de handelswaar uit te brengen. Zelf heb ik aan die ellende nooit meegedaan, uit goedzakkigheid en plaatsvervangende schaamte, behalve die ene keer dat ik het niet kon nalaten drieënhalve gulden te betalen voor de ebbenhouten tabakspot die tot op heden, gevuld met vakantiedrachmen, op mijn schoorsteenmantel staat.

Mijn collega-getuige, een jongen van de gestampte pot, verdiende er echter een aardig centje bij. Hij had menige kroegkennis in Amsterdam-Oost die graag honderdvijftig gulden voor een televisietoestel overhad. Hoe kwam ik er toch bij die ene keer, dwars tegen mijn aandriften in, vijfenveertig gulden voor die verdomde wasmachine te bieden? Het zal wel begeerte zijn geweest, die mij had aangeraakt. Hoe dan ook, opeens was ik de wettige eigenaar van zo'n zwaar verchroomd, onhanteerbaar kreng dat ik moeilijk onder mijn arm naar mijn jongenskamertje kon brengen.

Mijn collega-getuige wist raad. Hij kende een relatie met een bakfiets, al ging deze vriendendienst mij wél vijfentwintig gulden kosten. De man installeerde het gevaarte op de gang van mijn ouderlijke woning. Nee, bezwoer ik mijn verontruste ouders, één advertentie in *Wierings Weekblad* en de profitabele transactie was tot aller tevredenheid afgerond. Helaas, heel Amsterdam bleek al over een wasmachine te beschikken. Vier weken lang stond het gevaarte ons naast de huiskamerdeur aan te grijnzen. Toen greep mijn moeder in en liet ze de wasmachine door iemand naar een onbekende bestemming transporteren.

'Ik krijg dus vijfendertig gulden van je,' zei zij koel toen ik 's avonds thuiskwam.

'Koopman Kak,' sprak mijn vader boven het avondblad, woorden die van weinig vertrouwen in de handelsgeest van zijn zoon getuigden.

Enkele maanden later werd ik journalist en deelde ik voor de rest van mijn leven dwangbevelen uit aan het adres van het koningshuis en de rooms-katholieke kerk.

Het waren langs de deuren was niets voor mij. Toch zijn het geen echte schurken, mijn voormalige collega's. Zij gaan tot op heden gebukt onder 'het eenzijdige beeld van een boeman die, met zijn voet tussen de deur geklemd, geld komt incasseren. En anders sluit hij gas, licht en water af en zet de mensen hun huizen uit,' zegt deurwaarder F. Mulder in een vraaggesprek ter gelegenheid van het 125-jarig bestaan van de Koninklijke Vereniging van Gerechtsdeurwaarders. Mensen houden niet van mensen die hen manen de gemaakte schulden te voldoen, ook al heeft de incasseerder recht en wet aan zijn zijde. 'Is it the law?' Ja, het is de wet (William Shakespeare, *The Bailiff of Venice*, IV, I). Dus scoort de deurwaarder nog steeds hoog op de toptien van de meest gehate beroepen, in een nek-aan-nek-race verwikkeld met de inspecteur der algemene belastingen en de ambtenaren van de stedelijke dienst parkeerbeheer.

De Nacht van Wiegel, derde bedrijf, vierde tafereel. De VVD-sena-
toren hebben opnieuw om een schorsing verzocht en trekken zich
terug in hun fractiekamer.

'Voorzitter, ik vraag het woord.'

'Ga uw gang, collega Wiegel.'

'Voorzitter, ik constateer dat inmiddels alle argumenten zijn uitgewisseld. Meerdere malen, zelfs. Het is nu zaak de verstandigste
strategie te bepalen.'

'Waar is dat ingewikkelde gedoe voor nodig? Ik sta er dit keer
werkelijk op om, na al die jaren, eindelijk volgens mijn principes…'

'Beste Makkreel, misschien heb je verstand van principes, maar
van tactiek heb je geen kaas gegeten. Kijk, mijns bedunkens moet
het volgende gebeuren… De tegenstanders in onze fractie kondi-
gen straks aan ondanks alle bezwaren vóór het referendum te zullen
stemmen. Allemaal…'

'Voorzitter…!'

'Stil nou even, Van Eekelen! Luister naar wat ik zeg. Allemaal!
Behalve één. Dat ben ik.'

'U? In uw eentje? Begrijp ik niks van.'

'Laat ik het je uitleggen, Verbeek. Want wat is het gevolg van
die ene tegenstem?'

'Dat het referendum nét de tweederde meerderheid niet haalt.'

'Héél goed gerekend, Van Graafeiland! Je leert het nog wel. En
wat zijn de andere gevolgen?'

'Mag ik even tussenbeide komen, meneer de voorzitter?'

'Eén ogenblik, mevrouw Dupuis. U krijgt dadelijk het woord.
Ga verder, Wiegel.'

'In de eerste plaats dat ons, de vvd, onmogelijk woordbreuk kan worden verweten. Er is immers geen sprake van een tegenstemmende vvd, maar één tegenstemmende vvd'er. Daar kan d66 onmogelijk het kabinet op laten vallen.'

'Vergis je niet, het is een heethoofd, die Thom de Graaf.'

'Die jongen bindt wel in. Heb je de opiniepeilingen gezien?'

'Desastreus!'

'Precies! Ik vat de voordelen van onze strategie samen: dat referendum gaat niet door, onze partij heeft zijn betrouwbaarheid bewezen, het kabinet staat recht overend, d66 heeft een tik op z'n vingers gekregen en zelf heb ik laten zien wat een door en door standvastig politicus ik ben.'

'Listig!'

'Razendsluw!'

'Doen we!'

'Maar is dat allemaal wel ethisch, Hans?'

'Nee, Heleen, dat is niet ethisch, dat is politiek.'

Het is allemaal politieke fictie, al was het alleen al omdat Hans Wiegel (volkstribuun) minder sluw is dan hij lijkt en Heleen Dupuis (ethica) pas na de kortstondige val van het kabinet-Kok tot de Eerste Kamer is toegetreden. Maar mijn vingers jeukten nu eenmaal om een liberale pendant van *De Nacht van Schmelzer* te schrijven, mijn eenakter van een paar jaar geleden waarin ik de beroemde parlementszitting dramatiseerde waarin het kabinet-Cals door Norbert Schmelzer, de toenmalige politiek leider van de kvp, ten val werd gebracht. Met één verschil. Mijn reconstructie van de Nacht van Schmelzer behelsde grotendeels de waarheid, gebaseerd op gedegen bestudering van de archieven, standaardwerken en *Handelingen*. Niemand in de zaal die zich dit realiseerde, behalve Schmelzer, die zichzelf vanaf de eerste rij gadesloeg met een mengsel van euforie en verbijstering. Vijfentwintig jaar lang was hij allerwegen tot verpersoonlijking van de volstrekt onbetrouwbare katholieke machtspolitiek uitgemaakt, om uiteindelijk, in het Theater aan het Spui in Den Haag, te worden gerehabiliteerd.

Ik heb het stuk onlangs opnieuw bekeken, in de televisieregistratie die ervan is gemaakt. Toegegeven: Molière is beter. De boodschap was niettemin ondubbelzinnig en overtuigend: er was geen sprake van een moord met voorbedachten rade. Het betrof een volkomen verantwoorde parlementaire actie van een politicus die zich zorgen maakte over het financiële beleid van het zittende kabinet, dat werd aangevoerd door een premier die, geheel tegen de democratische mores in, geen tittel of jota aan zijn begroting wenste te veranderen.

Daar nam Schmelzer geen genoegen mee. Dus liet hij 's nachts om halfvier een – uiterst gematigde – motie in stemming brengen, die de bezeerde Cals als een motie van wantrouwen wenste te beschouwen.

Adieu, premier Cals.

Ik was jong en onschuldig, wat homo's waren, wist ik niet of nauwelijks, en dat de stad mijner geboorte, Amsterdam, veertig jaar later tot 's werelds gay city zou promoveren, kon geen mens vermoeden.

Mijn brood verdiende ik in het vergelegen Leeuwarden, waar ik als kersverse verslaggever van *Het Vrije Volk* op socialistische wijze de lokale schoorsteenbranden versloeg.

Mijn vrije tijd verdroomde ik in het café, boven een glas en een boek, want reeds toen was ik een kleine slaaf van poëzie en taal.

De indruk die de pasverschenen zendbrieven van Gerard Kornelis van het Reve op mij maakten, was regelrecht verpletterend.

Ik ervoer de beide bundels, *Op weg naar het einde* en *Nader tot u*, als superieur geschreven grappenmakerij, geschreven op een basis van diepe ernst, met een apodictische manier van formuleren die ik tot dusverre nog bij geen andere schrijver had aangetroffen. Lees hoe hij Henry Miller de oren waste: 'Hoe iemand ooit de geschriften van deze zwetsende zelfverheerlijker ernstig heeft kunnen nemen is mij een raadsel, gezien de vervelende opendeurintrapperij en het losgeslagen kleinburgerdom die er de grondslag van vormen, alles vermengd met theosofie uit West-Friesland van 1910, en dan nog onverteerbaar slecht geschreven; zo zou ik het overjarig vitalisme van deze oude bosneuker willen omschrijven, die in zijn kruistocht tegen de bekrompenheid zelve de vleesgeworden bekrompenheid is.'

Tussen de bedrijven door bedreef Van het Reve de 'herenliefde', waarin met veel wellust en weemoed aan jongensslipjes werd gesnoven in een wereld die de mijne niet was en nooit zal worden, maar die mij wel de ogen opende voor het feit dat er blijkbaar ook nog een andere wijze is waarop men iemand kan beminnen.

Ik liep met mijn nieuwe literaire vondst naar mijn collega's op onze zesmansredactie waarvan iedereen, door mijn geestdrift aangestoken, driftig aan het lezen sloeg, behalve de wat oubollige provincieredacteur, want die las alleen maar de jaarverslagen van de gemeente Utingeradeel.

Met mijn aanstaande schoonmoeder, die in haar warhoofderij elke avond de soep liet aanbranden, had ik een gespannen verhouding. Zij was gepokt en gemazeld in de diepste provincie waar zij een leven lang met overluide stem de kindertjes het ABC had bijgebracht. Op mijn beurt was ik in haar ogen een geïmporteerde, aan de drank en waarschijnlijk ook aan de drugs verslaafde zonderling, opgegroeid in een stad waarin bedreigende elementen als negers en joden woonden.

Niettemin kocht ik voor haar, na mijn laatste socialistische centjes te hebben bijeengeschraapt, die beide Van het Reve-bundels. Het was een naïeve poging tot handreiking, een hulpeloze vorm van messianisme, in de hoop de vrouw met wie ik een half mensenleven lang te maken zou krijgen ervan te overtuigen dat joden, negers en homoseksuelen óók mensen zijn.

In de daaropvolgende weken vroeg ik af en toe of het geschrevene (f 5,90 per gebrocheerd exemplaar) haar was bevallen. Het antwoord was ontwijkend. Er moest nog een kleedje voor de buurvrouw worden gestikt en bovendien was tante Boukje over een paar dagen jarig.

Zij, mijn aanstaande schoonmoeder, was geen kwaaie vrouw, betoogde mijn aanstaande echtgenote.

Dat zou er nog bij moeten komen ook, antwoordde ik, vermoeid door de schoonmoederlijke verwijten als dat mens op haar inspectietochten een glas jenever op het nachtkastje had aangetroffen.

Even later vertrokken wij, haar dochter en ik, pasgetrouwd naar Amsterdam, op tweeënhalf uur sporen van Leeuwarden gelegen. Dat was helaas geen bezwaar. Mijn schoonmoeder stond met grote regelmaat met een tas vol nuttige geschenken op de stoep en onderwierp de gordijnen aan een reinheidsinspectie. Bij dit soort gelegenheden was ik toevallig net om journalistieke redenen naar IJsland vertrokken. Even later verhuisde zij tot mijn schrik naar Den Haag, een gemeente die op slechts drie kwartier afstand van 's lands hoofdstad ligt. Gelukkig had ik mij inmiddels eveneens ontwikkeld tot een specialist in zaken het Oostblok betreffende, zodat ik zelden thuis werd aangetroffen.

'Woont die man hier eigenlijk wel?' vroeg mijn schoonmoeder argwanend.

Een enkele keer was zij met de slechtste wil ter wereld niet uit de weg te gaan. Met Sinterklaas bijvoorbeeld, dieptepunten in het bestaan, avonden waarop zij de gunst van haar dochter, schoonzoon en kleinkinderen probeerde te kopen door een krankzinnige overdaad aan cadeautjes, waaraan altijd per ongeluk het prijsje was blijven hangen. 's Anderendaags moesten wij in ruil voor haar goedgeefsheid een autotochtje met haar maken.

'Bukken, beppe, een Surinamer!' sprak ik wraakzuchtig bij het stoplicht.

Inderdaad, het was geen kwaaie vrouw. Het was alleen geen twintig minuten met haar uit te houden. De dood van haar dochter, haar enig kind, was ook voor haar een tragedie, die ons verzoende. Veertien dagen lang, tot zij op haar beurt overleed. Met mijn twee zonen ging ik naar haar Haagse flatje om te kijken of er wat te erven viel.

'Wilt u de gestorvene nog even zien?' vroeg de mevrouw die met onze nazorg was belast. Mijn jongste zoon vertolkte resoluut het familiestandpunt: 'Nou, nee.'

De woning was, zoals in al die bejaardengetto's, drie vierkante meter in omvang. Niettemin zetten wij achtenveertig bloemenvazen bij het oud vuil. De boekenkast was typisch die van een oudere dame uit de provincie. Veel Godfried Bomans en populair-wetenschappelijke studiën over de waterbouwkundige werken in het oude Assyrië. En natuurlijk, omdat zij ook anderszins niets weg kon gooien, hoe graag zij ook had gewild, die twee bundels zendbrieven van Gerard Kornelis van het Reve, recht van rug, maagdelijk, ongeschonden en ongelezen.

Infernaal waren de bonjes op de redactie van *Vrij Nederland*, de krant waarvoor ik bijna twintig jaar heb geschreven. Elke redactievergadering ontaardde in een complete veldslag. Met veel geschreeuw en geruzie, dreigend gemompel, af en toe overstemd door het geluid van messen die werden geslepen en lijken die dozijnsgewijze uit de kast kwamen tuimelen.

Toen ikzelf, eind 1984, de trap niet meer op durfde uit vrees deze of gene collega tegen het lijf te lopen, nam ik nog dezelfde dag ontslag en trad vijf maanden later in dienst van *De Groene Amsterdammer*, een weekblad dat door de VN-redactie altijd schouderophalend naar de schroothoop werd verwezen, zoals in feite al het concurrerende drukwerk met dédain werd bezien. Wij hadden de wijsheid in pacht. Wij, VN-redacteuren, bewoonden de erehemel der vaderlandse journalistiek en wat er elders werd uitgebroed, was allemaal onzin. In mijn nieuwe werkomgeving merkte ik evenwel tot mijn vreugde en verbazing dat het mogelijk is op een nette, argumentatieve manier met elkaar van mening te verschillen.

Ondertussen was op de VN-redactie een zuivering in gang gezet, primair gericht tegen diegenen die het hadden gewaagd te betwijfelden of *Vrij Nederland* nog steeds het beste weekblad ter wereld was. Inderdaad, het was een clan, het was het Vaticaan van Links, een arrogant, zelfgenoegzaam zootje, dat overtuigd van zijn eigen onverslaanbaarheid in een klimaat werkte waarin de geringste afwijzing van het sektedenken ('Heeft de *Haagse Post* de staking bij Hoogovens eigenlijk niet beter gedaan dan wij?') als regelrecht verraad werd beschouwd.

Ik volgde het drama op veilige afstand. Als er weer eens een interviewer bij me over de vloer kwam met de onvermijdelijke vraag hoe 'het' indertijd allemaal ter redactie van dat andere weekblad, een halve grachtengordel verder, verlopen was, sprak ik waardig: 'Ik spuw niet in de bron waaruit ik gedronken heb.' In werkelijkheid wilde ik, overborrelend van de onverwerkte emoties, niets liever.

Toch zweeg ik, postuum geïntimideerd door de magische uitstraling van 'het collectief', zoals de VN-redactie zichzelf placht te omschrijven. Ik had inmiddels trouwens andere zorgen aan het hoofd en de rol die *Vrij Nederland* in mijn leven speelde, beperkte zich al gauw tot de donderdagochtend, als de nieuwste editie op mijn bureau belandde.

Dan dacht ik: Tja.

Al snel ondervond ik dat het besturen van een weekblad niet zo eenvoudig is, om het even of je acht of achtentwintig redacteuren tot je beschikking hebt. Op een gegeven moment stelde de *Groene*-redactie voor, door mijn vernieuwingsdrift aangestoken, alle columnisten aan de dijk te zetten. Daar kon natuurlijk geen sprake van zijn. De kritiek op de column van Annemarie Grewel, die in die tijd inderdaad niet zo in vorm was, was echter zo algemeen, dat er geen redden aan was.

Hoe doe je dat? Iemand ontslaan?

Ik schreef haar een vriendelijk bedoelde brief met een ondubbelzinnige inhoud. Op maandagmorgen kwam zij, zoals altijd, de trap op gestommeld om haar stukje bij de eindredactie in te leveren. Er was echter één verschil met al die andere weken.

Zij huilde.

Versteend zat ik in mijn stoel, in de wetenschap een ernstige fout te hebben gemaakt. Annemarie Grewel. Middelbaar. Alle ellende van de wereld over zich heen gehad. Joods en lesbisch. Eenzaam en verlaten. En haar pakten wij die tweehonderd woorden per week af! Dus riep ik, vanuit mijn kantoortje: 'Annemarie, kan ik je even spreken?'

En de volgende woensdag opende ik de redactievergadering met de woorden: 'Beste collega's, een week geleden hebben wij Annemarie Grewel op een democratische wijze ontslagen en twee dagen geleden heb ik Annemarie Grewel op een ondemocratische wijze weer aangenomen.' Het aardige en veelzeggende van het geval is dat ter redactie eigenlijk niemand behoefte aan een nadere toelichting had.

De splijtzwam in de VN-redactie was, behalve ik, vooral Joop van Tijn, vroeg overleden aan slokdarmkanker, een typische journalistenkwaal, omdat in dit milieu te veel wordt gerookt en te veel wordt gedronken.

De dag voor de crematie kreeg ik mijn *Vrij Nederland*-collega MvW aan de telefoon met het verzoek in zijn krant iets over de overledene te schrijven, liefst over onze verschillende visie op het journalistenvak, 'want Joop was, zoals je weet, de man van het checken, checken en nog eens checken, terwijl jij immers…'. Het was, wat mij betreft, zo tegen het verkeerde been dat het van de weeromstuit komisch werd. Want het was nota bene dezelfde Joop van Tijn die op het dieptepunt van onze verstandhouding de giftige legende in circulatie heeft gebracht dat ik, omwille van de esthetiek, geneigd was de hand met de heilige feiten te lichten. Het is een apocrief verhaal dat mij zal achtervolgen tot op het moment dat ik op mijn beurt dood zal gaan en het bewijst dat Joop van Tijn, behalve charmant, ook malicieus kon zijn.

Wij hadden tamelijk veel gemeen, ook in emotionele zin (hij het Jappenkamp, ik de onderduik), en beiden waren we vastbesloten alle ingeslapen instituties en heilige huizen rijp voor de sloop te maken. Toch ging het mis, in een reeks van conflicten, waarin meestal geen der strijdende partijen voor honderd procent de wijsheid in pacht had.

Alles wat ik over hem probeer te formuleren, is terug te voeren op teleurgestelde liefde. Teleurgesteld in een man die herhaaldelijk verklaarde dat zijn weekblad zijn grote passie was waaraan niet getornd mocht worden en ondertussen zijn energie in andere media investeerde, teleurgesteld in een man die zijn talenten helaas slechts ten dele heeft waargemaakt. Hij was een hartstochtelijk liefhebber van poëzie en kende complete dichtbundels uit zijn hoofd. Waarom heeft hij daar al zijn leven nooit één artikel over geschreven? Ik heb dat nooit begrepen. Hij koos, tot mijn verwondering, liever voor het tijdgebonden schaakspel met de Haagse politiek, wat hij overigens virtuozer deed dan ieder ander, inclusief ik. Maar hoort een journalist op zo'n belangrijke post niet, al verslaggevende, aan een soort oeuvre te werken? Zo iemand kan toch niet voornamelijk de geschiedenis in gaan als de man die ooit zo'n opzienbarend interview uit Piet Steenkamp en Dries van Agt heeft weten te wringen?

Ik was godzijgeloofd allang weg toen op de redactie van *Vrij Nederland* de ene redacteur de andere redacteur op democratische wijze begon te ontslaan, een proces dat Joop van Tijn op vaardige wijze regisseerde. Ze gingen er allemaal uit, de redacteuren die hadden dwarsgelegen, plus de redacteuren die wellicht ooit lastig zouden kunnen worden. Ik zag het op verre afstand aan, met gemengde gevoelens, want je schept geen behagen in de morele neergang van een krant waarin je veel hebt geïnvesteerd.

De beroemde *VN*-persrubriek, gespecialiseerd in het kapittelen van concurrerende dag- en weekbladen, was trouwens inmiddels opgeheven.

Een enkele keer kwam ik Joop van Tijn nog wel eens tegen, in de trein of bij Arti et Amicitiae. Dan groetten we elkaar. Eens waren we allebei per ongeluk betrokken bij de een of andere manifestatie, ik als spreker, hij als forumvoorzitter. Ik gaf hem een hand en zei dat wij, volgens mij, zouden moeten uitscheiden met dat vruchteloze gezeik van vroeger. Hij antwoordde effen: 'Daar moeten wij dan zeker eens over praten.' Nooit iets van gekomen. Hij was geen man des vredes en hij vond elke vorm van dissident gedrag – jegens hem, jegens zijn krant – onvergeeflijk.

Van de vergaderingen waarop wij elkander de oren wasten, staan mij slechts de vage contouren bij. Noem het verdringing. Ging het werkelijk over het triviale feit dat de eindredactie niet zo bevredigend zou functioneren?

Daarentegen staat het twintigjarig ambtsjubileum van hoofdredacteur Rinus Ferdinandusse me nog in alle details voor ogen. Het was 1979 en de nouvelle cuisine was net uitgevonden. Het keukenpersoneel van het Lido was nog niet met deze culinaire mode vertrouwd en serveerde heel kleine hapjes met een tussenpoos van vijf kwartier per gang, ondertussen genereus de glazen vullend, zodat iedereen tegen halfelf redeloos beschonken was. Volgde mijn jubileumtoespraak, als senior editor. Volgende de officiële aanbieding van de jubileumkrant, waarin de *VN*-redacteuren elkaar parodieerden, ik Joop, Joop mij.

Toen werd hij aan de telefoon geroepen. Joop van Tijn werd altijd aan de telefoon geroepen. Het duurde een halfuur. Het duurde drie kwartier. Waar bleef die jongen toch? Ik begon het gebouw te doorzoeken en vond hem een etage hoger, liggend op een bank, amechtig en angstig: problemen met zijn hart. Razendsnel alarmeerde iemand een dokter en in afwachting van diens komst was ik blij dat ik er was om z'n hand vast te houden.

III
LEED & ELLENDE II

Er bestaat, bij mijn weten, maar één gedicht waarin deze ooit fatale ziekte wordt beschreven.

Het is een gedicht van Paul van Ostaijen, die zelf in 1928 aan TBC zou overlijden. Ik citeer een veelzeggend fragment: 'Losse longen amechtige blaasbalg krijsen pijpenPijp pal pop ka P otte uurwerk Débacle spuwt etterrésidu op bezette StadMorgenrot rocheltvogelschrik staat in slibaarde kappotte borstkas [...] operetteschermen zwijmelen dunne lach'

Wij spreken echter niet over operette, maar over opera, om precies te zijn over Giuseppe Verdi's *La Traviata* en Giacomo Puccini's *La Bohème*, de twee beroemdste teringopera's aller tijden.

Beethoven stierf aan een levercirrose, Mozart overleed aan een 'hitziges Frieselfieber', Bach stierf in zijn bed, Webern werd door een verdwaalde kogel getroffen, Weber, Grieg en Chopin stierven aan TBC.

Het valt niet te horen aan Chopins walsen of Webers Tweede Klarinetconcert, TBC is geen muzikaal gegeven. Tuberculose is, creatief gezien, veeleer een ziekte voor schrijvers en dichters. Ik citeer John Keats, die erover geschreven heeft en eraan gestorven is. 'Bring me the candle,' zei hij tot Brown, bij wie hij logeerde, 'en toon mij de bloedvlek.' Hij bekeek de grote rode smet op het kussen en zei kalm: 'Ik herken deze kleur. Het is slagaderlijk bloed. Dit bloed is mijn bode des doods.'

En zulks geschiedde.

Geen bekender teringroman dan Thomas Manns *Der Zauberberg*, het boek dat iedereen op zijn rooktafel heeft liggen en niemand heeft gelezen. Op deze Toverberg bevindt zich het sanatorium

Haus Berghof, waarin Hans Castorp wordt verpleegd. Hij beluistert via zo'n antieke grammofoon een net op schellak vastgelegd fragment uit een Italiaanse opera. Het is een duet tussen een 'weltberühmte Tenorstimme' en een 'glasshell-süsse, kleine Sopran'. De tenor zingt zijn 'Dammi il braccio, mia piccina', hetgeen door de sopraan met een 'süsse, gedrängt melodische Phrase' wordt beantwoord.

Mann vertelt, om welke reden dan ook, niet wie die tenor en sopraan zijn geweest. Ik heb het uitgezocht: het waren Enrico Caruso en Nellie Melba, die dit duet op 24 maart 1907 hebben opgenomen. Welke Italiaanse opera het betrof, wordt eveneens door de schrijver in het midden gelaten. Maar het was natuurlijk Puccini's *La Bohème*.

La Bohème is een opera met dodelijke afloop. Dat is niets bijzonders, want er wordt in het muziekdramatische repertoire met grote regelmaat gestorven. Aida wordt, samen met haar Radames, ingemetseld. Senta springt in de oceaan teneinde de Vliegende Hollander, onze beproefde landgenoot, te verlossen. Samson wordt verpletterd door het gesteente van een ineenstortende tempel. Salome wordt verpletterd onder de schilden van koning Herodes' paleiswacht. Het naaistertje Mimi uit *La Bohème* sterft op haar beurt aan de tering, net als Violetta Valéry, de mannenverslindende femme fatale uit *La Traviata*.

Violetta en Mimi, het is de eeneiige tweeling van de operaliteratuur. Beiden zijn stervensziek, beiden krijgen een grote liefde, waarmee zij een akte later ruziemakend breken, om zich uiteindelijk, in het aangezicht van de dood, met hem te verzoenen. Toch is het overlijden van Violetta én Mimi met een raadsel omgeven, dat niet gemakkelijk is op te lossen. Ik vat de probleemstelling samen in één vraag: hoe komt het dat de afloop van *La Traviata*, een van die volmaakte opera's van de onverslaanbare Verdi, ons betrekkelijk onberoerd laat, terwijl wij ons na afloop van Puccini's *La Bohème*, als geslagen honden, onze neus diep in een zakdoek verborgen, in de richting van de garderobe begeven?

Laat ik proberen te beschrijven waaraan wij de laatste tien, twintig minuten van de respectievelijke opera's zijn blootgesteld. Wij naderen het einde van *La Traviata*, als Violetta Valéry door een visioen wordt bezocht. 'È strano!' De pijn is plotseling weg! Zij voelt zich als herboren! Er is een wonder geschied! 'Oh! Gioia!'

En zij sterft.

Het is allemaal al verschrikkelijk genoeg. Het valt echter te verdragen, mede omdat wij weten dat de dood bij elke serieuze opera tussen de coulissen staat.

Maar wat Puccini, samen met zijn twee librettisten, allemaal heeft bedacht, is, dramatisch gezien, nog veel verschrikkelijker. Mimi sleept zich doodziek de trappen op van de mansarde van Rodolfo, de man die haar een bedrijf eerder wredelijk heeft verlaten. De gelieven vallen elkaar in de armen. Daarna wordt er werkelijk alles aan gedaan om ons, voyeurs in het aangezicht van de dood, op de knieën te krijgen. Mimi, door de getrouwen uit gelukkiger dagen omgeven, wordt zachtjes op Rodolfo's bed neergelegd.

'Oh, mio Rodolfo, mag ik blijven?' vraagt zij.

'Ah, mia Mimi!' roept hij. 'Voor altijd! Voor altijd!'

Het arme kind heeft, weten wij maar al te goed, nog hoogstens een kwartier te leven. Zij valt in slaap. En zij sterft. Iedereen ziet het behalve Rodolfo. Verbaast ziet hij al die schuwe blikken om hem heen. 'Waarom kijken jullie me zo aan?' vraagt hij. Dan dringt de waarheid tot hem door. Langzaam valt het doek. Fine dell'opera.

Het is de meest aangrijpende scène uit de operaliteratuur. Ik ben er tientallen keren getuige van geweest. Niemand met een hart in zijn lijf is ertegen bestand. Niemand! Bij de laatste *Bohème* die ik moest doorstaan, zat er waarachtig wéér een rij geharnaste recensenten naar de punten van hun schoenen te staren. En ons, minder getrainden, vergaat het niet anders. Eigen schuld, dan hadden we maar voor Lehárs *Die lustige Witwe* moeten kiezen.

De raadsels blijven. Gegeven is twee teringpatiëntes, twee jonge, Parijse vrouwen, die allebei, in het Italiaanse en in vergelijkbaar muzikaal jargon, onder dezelfde omstandigheden overlijden. Ons hart breekt, om het lot van Mimi en in veel mindere mate om het lot van Violetta. Het is vreemd, en in elk geval verre van rechtvaardig.

Maar misschien is van ons medeleven niet in de ongelukkige hoofdfiguren, maar in de bijfiguren verankerd. Nee, niet in de bijfiguren van *La Traviata*. Dat zijn de kleedster, de dokter en de vader van de aanstaande weduwnaar. Zij maken weinig in ons wakker, het zijn, althans in de fatale fase van de opera, decorstukken die weinig bijdragen tot het emotionele proces. Anders dan de bijfiguren in *La Bohème*. Dat zijn onder meer de kokette Musetta en de filosoof Colline. De patiënte, gelegen op wat haar sterfbed zal worden, heeft ijskoude handen. Had zij maar een mof! Daar is geen geld voor, er is niet eens geld voor medicijnen. Dus verkoopt Musetta stilletjes haar oorhangers en maakt Colline aanstalten zijn goede, oude, beproefde overjas naar de bank van lening te brengen. Hij spreekt een korte, half-komische, half-plechtige afscheidsrede uit: 'Luister goed, mijn oude jas. Ik moet afscheid van je nemen. Aanvaard mijn dank. Nooit heb je je versleten rug gebogen voor de rijken en machtigen. In je zakken hebben dichters en filosofen gewoond. Die gelukkige dagen zijn voorbij. Ik zeg je vaarwel, fidele amigo mio. Addio, addio…'

En Musetta, in wie inmiddels weinig kokets meer te bespeuren valt, bidt radeloos tot de Heilige Maagd: 'Laat haar weer genezen, Madonna santa! Ik ben uw genade niet waardig. Maar Mimi is een engel uit de hemel…'

Het is puur drama. Misschien is het zelfs wel melodrama, een cultureel fenomeen dat een slechte reputatie heeft. De criticus van *La Stampa*, die in 1896 de première bijwoonde, sprak van een mislukte opera, hol en kinderlijk, en voorspelde dat *La Bohème* geen lang leven beschoren zou zijn. Misschien is *La Bohème* inderdaad wel hol en kinderlijk. In de praktijk zegt dit niets.

Onlangs herlas ik, na zo ongeveer een kwarteeuw, Hector Malots *Alleen op de wereld*. Een zieliger boek bestaat er, geloof ik, niet, het papier is zilt van onze tranen, totdat de hoofdpersoon, de kleine Rémy, het ooit te vondeling gelegde kind van schatrijke ouders blijkt te zijn. Het is een draak, net zoals *King Lear* en *Timon van Athene*. Het is een boek vol valse sentimenten. Maar valse sentimenten bestaan óók al niet, er bestaan slechts sentimenten, en de kunstliefhebber die zich daaraan zonder valse schaamte durft over te geven, is gelukkiger en gevoelsrijker dan de bewoner van de wondere, maar emotioneel verkilde wereld van postmodernisme en cyberspace.

Deze constatering laat op haar beurt de vraag onbeantwoord waarom Hector Malots *Alleen op de wereld* tot op heden herdruk na herdruk beleeft en bijvoorbeeld vergelijkbare pulp als Victor Hugo's *Notre-Dame de Paris* geheel uit het beeld is verdwenen. Anders dan *La Traviata* en *La Bohème*, die nog altijd, waar ook ter wereld, bomvolle zalen trekken.

Niettemin, voor *La Traviata* mag men mij midden in de nacht wakker maken, terwijl ik gezworen heb mijzelf al mijn leven nooit meer de marteling van *La Bohème* aan te zullen doen.

Waarom?

De raadsels blijven.

Na de plechtigheid stelden wij elkaar de gebruikelijke vraag: Wat valt er te zijner tijd te prefereren: een crematie of een begrafenis? Cremeren is, in mijn vrijgevochten milieu, tegenwoordig bijna een vanzelfsprekendheid, al begint de ouderwetse teraardebestelling, inclusief de pittoresk neerploffende aardkluiten, bij een enkele neoromanticus iets van het verloren terrein terug te winnen.

Nadat wij onze voorkeuren hadden uitgewisseld, volgde de tweede onvermijdelijke vraag: Welke muziek dient bij dit soort gelegenheden ten gehore te worden gebracht?

Eén ding is zeker: de zaak is te belangrijk om aan de uitvaartbedrijven te delegeren. De artistieke wansmaak in dit milieu, leert de ervaring, is werkelijk ademstokkend. In het vroege voorjaar begeleidde ik een kennis op zijn laatste gang. Hij kende het Concertgebouw slechts van de buitenkant. Dus kozen de kraaien zelf iets. Het bleek *Sag' beim Abschied leise Servus* te zijn geworden, een derderangsaria uit een vierderangsoperette, voor deze gelegenheid vertolkt op het hammondorgel.

De meest aangrijpende begrafenismuziek is honderd jaar geleden gecomponeerd. Het is het lied *Aan de strijders*, geschreven en getoonzet door Dirk en Silvie Troelstra. 'O strijders, die uw liefd' en leven, uw kracht en geest, uw heldenmoed, aan heel de mensheid hebt gegeven, u brengen wij een broedergroet.' De kist was gedrapeerd met de rode vlag. Bezijden de baar lagen rode rozen. Het koor was de lokale afdeling van de Stem des Volks. Het type socialisten dat op deze wijze werd uitgedragen, is echter inmiddels uitgestorven. De rode rozen zijn weliswaar gebleven, maar de muzikale keuze van de overleden partijsecretaris ener plaatselijke PvdAafdeling is inmiddels het Ave Maria van het succesvolle, dieprelligieuze, verre van socialistische componistenkoppel Bach/Gounod.

Er zijn zonderlingen die Sibelius of Tsjaikovski, Bizet of Wagner als excellente componisten beschouwen en daarvan postuum wensen te getuigen. Je moet daarmee oppassen. De overledene die zijn nabestaanden lastig valt met de Triomfmars uit Verdi's *Aida* of de Treurmars uit Wagners *Götterdämmerung* maakt zich belachelijk. Zoals men zich eveneens bezwaarlijk kan laten uitluiden door Johann Strauss' 'Oje, oje, wie rührt mich dies…' of met het megalomane geweld van Richard Strauss' *Ein Heldenleben*.

Bovendien moet je bij een aangelegenheid als een crematie of begrafenis oppassen voor emotionele overkill. Neem een respectabel componist als Gustav Mahler. Ik betrok eens bij de videotheek de film *The Year of the Dragon*. Keiharde politieman bindt de strijd aan met de onderwereld van Chinatown. Moordziek geboefte maakt de vrouw van de politieman dood. Het complete korps breng haar de laatste eer. De keiharde politieman, geüniformeerd op de eerste rij gezeten, doet geen enkele moeite zijn gevoelens te versluieren. Maar hoe zit het met míjn gevoelens? Want de muziek is een fragment uit Mahlers Auferstehungssymfonie die ook zonder bewegende beelden al nauwelijks te verdragen is. In tranen badend zit ik ad *f* 12,50 huurprijs voor het televisiescherm, hunkerend naar het kuise klavecimbelgeruis van Johann Sebastian Bach.

Uitvaartmuziek moet vervaardigd zijn in een stijlperiode voordat de grote gevoelens en de brede gebaren de toonkunst topzwaar hebben gemaakt. Genoemde Bach. De Goldbergvariaties of de cellosuites. Geen cantates, dat klinkt te pretentieus, geen orgelgepreludieer, dat klinkt te kerks. Of Mozart, natuurlijk. Het inleidende adagio van het Dissonantenkwartet. Of de Notturni voor zangstemmen en bassethoorn: 'Ecco quel fiero instante'. Niet de Mauerische Trauermusik, helaas, want dat is vrijmetselaarsmuziek, die wij onze broeders-in-schootsvel moeilijk kunnen afpakken. Schubert is natuurlijk ook een excellente keuze. De fluitvariaties op 'Ihr Blümlein alle...' Of de arpeggione-sonate. Of het andantino uit die ongelooflijke pianosonate in A.

Het laatste moet het dus maar worden. Verder ben ik van mening dat, gegeven de verschrikking van het uitvaartceremonieel, de mens zich in de avond van zijn leven naar het Andesgebergte dient te begeven teneinde daar discreet en geluidloos in een rotsspleet te tuimelen.

JOURNALISTEN STERVEN (MEESTAL) JONG

Wie zijn wij, journalisten, eigenlijk?

Omdat ik niet van halve maatregelen hou, heb ik, op zoek naar een antwoord op deze vraag, tien jaargangen van het vakblad *De Journalist* doorgenomen. Daarbij concentreerde ik mij speciaal op de necrologieën die daarin worden gepubliceerd als mijn vakgenoten zijn gestorven, in het harnas of gewoon, uitgeput en uitgevut, in hun bed. Het is, ondanks alles, opwekkende lectuur. Want wij, journalisten, zijn – of waren – waarachtig niet de eerste de slechtsten. Integendeel, wij zijn – stuk voor stuk – een verslaggever in hart en nieren, een beminnelijke, hulpvaardige collega, zij het vaak een einzelgänger, een sociaal bewogen mens met een groot rechtvaardigheidsgevoel, wij kijken nuchter tegen de dingen aan en combineren een niet-aflatende arbeidslust met een verbluffende kennis van zaken. Wij zijn gezegend met veel humor, overigens nooit provocerend of kwetsend. Voor alles verstaan wij de kunst om een gecompliceerd onderwerp voor een groot publiek toegankelijk te maken. Journalisten van ons slag zijn eigenlijk dun gezaaid. Samenvattend: Wij zijn bekwaam, hulpvaardig, betrouwbaar, integer, opgewekt en stralen veel menselijke warmte uit. Is dit beeld strijdig met die jonge nietsnut die ons gistermorgen, bezijden het koffieapparaat, een grote mond heeft gegeven? Allemaal jalousie de métier, wij behoren niet toevallig tot de oude garde, het bijna uitgestorven ras der generalisten en laten dus bij onze vrienden, dierbaren en collega's een grote leegte na. Bovendien zijn wij de waakhond van de samenleving en soms zijn wij zelfs de luis in de pels.

Is het niet prachtig?

Nee, het is zelfbedrog respectievelijk necrologennepotisme. Het is immers een feit dat de beroepsgroep allang wordt gedomineerd door brave loonslaven, die de dagelijkse lunch gebruiken uit een Tupperwaretrommeltje met een boterham met zweetkaas om uiteindelijk na gedane arbeid naar hun doorzonwoning te Purmerend te pendelen om daar de geraniums te gaan verplanten. De eigentijdse redactie van de doorsneekrant wordt allang niet meer bevolkt door een allegaartje van nieuwshongerige jonge straathonden en middelbare zonderlingen met een deeltje Diderot in de zijzak van het asbemorste colbert, maar door gekwalificeerde, stervenssaaie doctorandussen. Het romantische beeld dat de buitenwereld van de journalistiek heeft is door de feiten achterhaald. De onvermoeibare, rokende en drinkende, hoerende en snoerende, alominzetbare alleskunner, die voornamelijk met zijn schrijfmachine of tekstverwerker is getrouwd, is allang dood en begraven, hij is al vele jaren geleden bijgezet in de betonnen massagraven van de Basisweg, de Wibautstraat en de Alexanderpolder.

Het beroep heeft altijd minder glamour gehad dan de buitenwereld dacht. Een kleine minderheid onder de journalisten zont zich in een zekere publieke bekendheid. De betrokkene mag af en toe zijn ponem op de televisie vertonen. Twee dagen later gasteert hij op een symposium over de journalistieke verantwoordelijkheid jegens mens en samenleving. Af en toe bundelt hij zijn eendagsvliegen tot matig verkopende boekjes die dan ook binnen een jaar zonder pardon naar de firma De Slegte worden getransporteerd.

Voor de rest bestaat de journalistiek voornamelijk uit maagzweerstimulerende galeiarbeid: het schrijven en herschrijven van kulberichten, het bijwonen van overbodige persconferenties, het verslaan van godverlaten vervelende vergaderingen en het interviewen van opgeblazen autoriteiten, gechaperonneerd door een zogenaamde voorlichter, die is ingehuurd om hohoho te roepen als zijn baas per ongeluk iets interessants dreigt te zeggen.

Wat weten wij, journalisten, van onszelf? Er is vanzelfsprekend wetenschappelijk onderzoek naar verricht. Achtenveertig procent onzer stemt op de Partij van de Arbeid, twintig procent stemt D66 en elf procent stemt Groen Links. CDA en VVD – goed voor dertien procent der journalistenstemmen – kunnen daarentegen weinig goeds in onze ogen doen. Wij staan dus in merendeel links van het midden. Daar houdt ons maatschappelijk engagement zo'n beetje op. Waakhond? Waarheidszoeker? Luis in de pels? Het is het beeld dat de geïmponeerde buurman van ons heeft, in werkelijkheid zegt slechts vijf procent van ons de journalistiek als 'een roeping' te beschouwen.

Qua imago bewegen wij ons tussen de reclamemaker en de autohandelaar. Intellectuelen zijn wij ook al niet. Wij zijn niet degelijk, wij zijn nauwelijks betrouwbaar, wij zijn – in de ogen van de publieke opinie – voornamelijk losbandig. Onze sociale status is lager dan die van een advocaat, een notaris, een dokter of een politicus, hij is zelfs lager dan die van een leraar of een makelaar. Onze honorering is navenant bescheiden. Wij brengen maandelijks minder naar huis dan een kraanmachinist, een predikant, een marktkoopman, een beroepsduiker of een directiesecretaresse. Om precies te zijn: een dagbladjournalist met vijf jaar ervaring heeft een salaris dat geen gulden hoger is dan dat van een bootwerker of stratenmaker.

Zij hebben allemaal, zowel de predikant als de kraanmachinist, een diploma nodig. Wij journalisten niet, ondanks al onze journalistenscholen en postdoctorale journalistencursussen. Dat is maar goed ook. Elke poging om het bedrijven van journalistiek aan kwalitatieve criteria te onderwerpen is strijdig met artikel 7, eerste lid, van de grondwet, het artikel dat bepaalt dat niemand voorafgaand verlof nodig heeft om door de drukpers gedachten en gevoelens te openbaren, hoe onbenullig of aanstootgevend ook. Met het gevolg dat Jan en alleman zich journalist mag noemen, ook de jongste bediende van de *Nieuwe Drogist*, onafhankelijk vakblad voor de drogisterijbranche, óók de hoofdredacteur van *Vlees & Vleeswaren*, onafhankelijk vakblad voor de slagerij.

Ik lees dit soort bladen graag. *Vlees & Vleeswaren*, bijvoorbeeld, publiceerde ooit tot mijn innig genoegen een vier pagina's omvattende reportage over de heropening van slagerij Blom te Putten. Interessante lectuur! Het is er die dag vrolijk toegegaan. De vernieuwde nering werd geopend door vleesambassadeur Willy Worst, er was ruimte geschapen voor een gebraden-gehaktballen-kwis en 'om nog eens extra ludiek uit de hoek te komen droeg iedereen een slaapmuts'.

Het is een proeve van journalistieke berichtgeving die je elders in de pers niet vaak zult tegenkomen en het zegt veel over de gestalten en schijngestalten die de Koningin der Aarde pleegt aan te nemen. Twee dingen weet ik zeker. Ten eerste: de wakkere verslaggever van *Vlees & Vleeswaren* heeft zichzelf in zijn paspoort fier als journalist laten omschrijven. Ten tweede: het salaris van de verslaggever van het vakblad *Vlees & Vleeswaren* bedraagt een veelvoud van het mijne.

Wij, redacteuren van echte kranten, voelen ons vanzelfsprekend ver boven dit mercantiele gescharrel verheven. Wij zijn anders, en beter. Zelfs de samensteller van de visserijberichten, heb ik de indruk, is evenwel verslaafd aan het beeld dat de buitenwereld aan ons heeft opgedrongen via de Amerikaanse b-films, met hun investigating reporters, een cynische oneliner op de lippen, op de schaarse momenten dat daar geen sigaretje tussen bungelt. Omdat journalisten roken en zuipen, het een en ander in een situatie van permanente stress, worden zij niet oud, zo wil het volksgeloof. Dat is de tol die de journalist moet betalen voor een afwisselend leven.

'Most of us die in their late forties or early fifties,' zei Timothy Cruise, voormalig verslaggever van de *Washington Post*. Het is een facet van ons journalistieke zelfbeeld, waarbij ik toch enige kritische kanttekeningen wil maken.

Ook hiervoor baseer ik me op de necrologieën die het afgelopen decennium in *De Journalist* zijn verschenen. Het waren er honderdnegenenvijftig, honderdeenenvijftig mannen en acht vrouwen. Mijn onderzoek concentreerde zich op leeftijd en doodsoorzaak. In een achtste van de gevallen was de leeftijd niet meer te achterhalen. In een kwart van de gevallen bleef de doodsoorzaak ongenoemd. Het maakt mijn onderzoek niet voor honderd procent sluitend, maar het materiaal is, statistisch gezien, betrouwbaar genoeg om representatieve conclusies te kunnen trekken.

Bij een kwart van mijn ex-collega's is de doodsoorzaak als een hartaanval omschreven. Een tweede kwart sterft aan ouderdomskwalen, die niet nader weren gespecificeerd. Vijftien procent overlijdt aan wat over het algemeen 'een slopende ziekte' wordt genoemd. Vijf procent kwam bij een ongeluk om het leven. De resterende vijf procent leed aan kwalen die varieerden van een hersenbloeding tot aids of suikerziekte.

Tot mijn verrassing heb ik slechts één geval van levercirrose aangetroffen.

Hoe oud of jong zijn wij, journalisten, als ons de pen definitief ontvalt? Ik laat de verkeersongelukken en de fameuze 'slopende ziekte' buiten beschouwing, die immers zelden leeftijdsgebonden zijn. Van honderdenzes bestudeerde gevallen is de doodsoorzaak bekend. Drieëntwintig van de zevenendertig hartaanvallen vielen beneden en veertien vielen boven de zestig jaar. Is deze drempel echter genomen, komen de vijfenzestigplussers opgerukt. Niet minder dan eenenzestig van hen, bijna zestig procent, heeft zijn pensioen gehaald. Om er nog vele jaren van te genieten. De gemiddelde leeftijd waarop zij zijn overleden, was tachtig jaar. De conclusie moge duidelijk zijn. Tot het zestigste levensjaar is het bedrijven van journalistiek een levensgevaarlijke aangelegenheid. Bereiken wij echter de vijfenzestig, dan zijn wij, journalisten, niet van de aardbodem af te branden. En de conclusie uit deze conclusie is: ondanks al dat roken en zuipen, hoeren en snoeren is de journalistiek een door en door gezond beroep, waarmee je zéér oud kunt worden.

Zeker, het is een vak voor stressbestendigen. Ben je tegen een hoge werkdruk bestand, kun je je gelukkig prijzen een vak zonder noemenswaardige oppervlakteschommelingen te beoefenen. Er wordt wel eens geklaagd over het feit dat de Nederlandse journalist zo weinig aan zelfkritiek en zelfbezinning doet. Waarom zou hij? Wij maken immers de braafste kranten ter wereld en de doodenkele keer dat het lijkt alsof wij over de schreef zijn gegaan, worden onze daden beoordeeld door onze eigen Raad voor de Journalistiek, een orgaan dat uit zulke inkeurige dames en heren bestaat dat het een genoegen is door hen berispt te worden, iets wat overigens zelden of nooit gebeurt. Het is toch eigenlijk geen vak, die journalistiek, het is een beroepsmatig beoefende liefhebberij, waar men ook nog geld voor krijgt, een beroep – ik citeer H.J.A. Hofland – met een minimum aan rangorde en een maximum aan arbeidsplezier. 'De journalistiek biedt in onze gecollectiviseerde, gebureaucratiseerde labyrinthmaatschappij,' zegt Hofland, 'een van de weinige mogelijkheden om nog in vrijheid een redelijk bestaan te voeren.'

Het is een vak dat, naar mijn ervaring, door veelal aardige mensen wordt beoefend, ook de wijsneuzen en de domoren, de blitskikkers en de waterdragers onder hen. De journalist heeft vrijwel altijd een opgeruimd karakter, hij heeft wat onze collega Koos Tak joie de vivre pleegt te noemen. Slechts één ding hebben de journalisten niet: een gemeenschappelijk kenmerk. Want er zijn zoveel verschillende soorten journalisten als sterren aan het firmament. De redacteur die met de eiertermijnmarkt is belast en de man die naar de slagvelden wordt gestuurd, hebben slechts één ding gemeen: hun bevindingen belanden uiteindelijk in de krant.

Het prototype van de journalist (voor zover de journalist bestaat) is Kuifje van *De Morgenster* noch Argus van *De Rommelbode*, maar collega Coen van der Plaats (59), al jarenlang redacteur dijkverzwaringen bij het *Nieuwsblad voor de Alblasserwaard*. Nette kerel, geen haar kwaad bij, altijd bereid je een dienst te bewijzen, misschien wat moegestreden. Als het maar mag, na bijna veertig jaren trouwe dienst! De aanstaande VUT is hem dus niet onwelkom, en dat geldt dus ook voor het aansluitende pensioen, waarin hij eindelijk tijd zal hebben om…

Dat ook hij met ere de tachtig moge halen!

Klokslag middernacht, tien kilometer boven Siberië, schakel ik via de cd-speler over op het Liefdesduet uit Richard Wagners *Tristan und Isolde*. Het is extase in optima forma, in 1952 gedirigeerd door de gelouterde en gelauwerde Wagnerspecialist Wilhelm Furtwängler, die twee jaar later aan een verwaarloosde bronchitis zou sterven. Geheel in de geest van het kunstwerk dat reeds sinds zijn première in 1865 in het teken staat van dood en verderf. 'Nun banne das Bangen holder Tod, sehnend verlangter Liebestod.' Het is, vooral als men gedurende de kleine uurtjes boven Boerjat-Mongolië zweeft, een fascinerende bladzijde in de operaliteratuur. Een klassiek, zij het schaars voorbeeld van erotiserende muziek, althans voor diegenen die hiervoor gevoelig zijn.

In zo'n slapend vliegtuig, door duisternis omgeven, luistert men met extra gescherpte oren. In feite beperkt deze erotiek, merk ik, zich eigenlijk tot het zinnelijk broeien in de orkestbak en is het samenspel van de beide hoofdfiguren een vijfenveertig minuten durend filosofisch traktaat over het doodsverlangen als plaatsvervangend zingenot. Het is een en al zinnenprikkelende sublimatie: 'So stürben wir um ungetrennt, ewig einig ohne End, ohn' Erwachen, ohn' Erbarmen, namenlos in Lieb' umgangen…' Met andere woorden, eigenlijk hebben de jonggelieven niets overspeligs in de zin.

Zij willen alleen maar dood.

Tristan en Isolde, het is een even beroemd als morbide liefdespaar. Ik turf in de marge van het tekstboek het aantal stervensverwijzingen. Het zijn er tweeëntwintig, waarbij met name Tristan het niet bij woorden laat. In de loop van het drama zal hij driemaal een zelfmoordpoging ondernemen, de laatste keer met succes.

Ik ben op weg naar Japan, een land waar de suïcide een rijke traditie heeft. 'Soll ich lauschen? Lass mich sterben!' Ik spoel mijn laatste sushi weg met een laatste slokje chablis, zet Tristan en Isolde in de wacht en sukkel genoeglijk in slaap.

Het is geen toeval dat de roman waarin Gabriele D'Annunzio op *Tristan und Isolde* reflecteert, *Il trionfo della morte* heet, een boek waarin de beide helden zich boven het klavieruittreksel van de opera op een gezamenlijke zelfmoord voorbereiden. Wagners opera is – weten wij – niet alleen verleidend en verlokkend, maar tevens levensbedreigend, en in elk geval ongeschikt voor de opgroeiende jeugd. 'Mevrouw!' sprak de pianoleraar Pfühl uit Thomas Manns *Buddenbrooks*. 'Dit speel ik niet. Ik ben uw dienstwillige dienaar, maar dit speel ik niet. Dit is geen muziek… Gelooft u mij toch… Ik heb mij altijd verbeeld iets van muziek te begrijpen. Dit is chaos! Dit is demagogie, godslastering en waanzin! Dit is geparfumeerde walm, waarin het bliksemt. Dit is het einde van alle moraal in de kunst. Ik speel het niet! Vergeeft u mij, mevrouw, dat ik zo openhartig spreek. U honoreert mij, u betaalt mij sinds jaar en dag voor mijn diensten… en ik leef onder bescheiden omstandigheden. Maar ik leg mijn ambt neer als u mij dwingt tot deze goddeloosheden… En het kind; daar zit het kind in zijn stoel! Het is zachtjes binnengekomen om muziek te horen. Wilt u zijn geest dan helemaal vergiftigen?'

Richard Wagners opera kan bogen op een rijke partituur. Niettemin, de overspannen perspectieven waarin het werk is geplaatst, zijn enkel en alleen te verklaren in het bijna hysterische decor van de romantiek, waarbij Wagner bepaald niet geneigd was een matigende rol te spelen. 'Kind!' schreef hij aan zijn muze Mathilde Wesendonck, 'deze Tristan wordt iets verschrikkelijks! De laatste akte! Ik ben bang dat de opera verboden wordt – of hij moet door een slechte uitvoering het aanzien van een parodie krijgen – alleen middelmatige uitvoeringen kunnen mij redden! Een geheel geslaagde uitvoering moet de mensen gek maken – ik kan mij niet anders voorstellen.'

10 juni 1865. Première van Richard Wagners *Tristan und Isolde*. De broederlijke vriend van de componist, de Beierse koning Ludwig II, zit vechtend tegen zijn tranen in de loge. De rollen van Tristan respectievelijk Isolde worden gezongen door het echtpaar Ludwig en Malwina Schnorr von Carolsfeld. Ludwig, de tenor, identificeerde zich zodanig met zijn tragische rol dat hij zich complete bossen haar uit het hoofd rukte. In de derde akte ging hij zo tekeer dat er uiteindelijk drie volwassen mannen aan te pas moesten komen om hem in bedwang te houden. De wetenschap is het er nog niet over eens of er een oorzakelijk verband bestaat, maar het is in elk geval een feit dat de gevoelige zanger drie weken na de eerste voorstelling onder de verzuchting 'Richard? Hoor je mij?' overleed. Het heeft jarenlang gegolden als het doorslaggevende bewijs van het feit dat het participeren in Wagners opera's eigenlijk levensgevaarlijk is.

Ik was er door ervaren Japankenners reeds op voorbereid dat mij een cultuurschok wachtte. Daar had ik de schouders over opgehaald. Zo snel valt, meende ik, de moderne westerling (noch de eigentijdse oosterling) niet uit zijn evenwicht te brengen. Ik wist: in Tokio zegt men 'hai' in plaats van 'ja' en bij het serveren van de garnalenkroket wordt een beleefde buiging gemaakt. De krant kun je er niet lezen en de televisie vertoont veel zwaarlijvige mannen die elkaar de adem proberen te benemen door met het volle gewicht op de tegenstander plaats te nemen. Maar voor de rest? De Japanners maken auto's die geen slechtere reputatie hebben dan de westerse Volvo of BMW en op mijn Sony-draaitafel ligt, terwijl ik deze woorden schrijf, een Japanse cd-persing van liederen van Johannes Brahms, gezongen door de mezzosopraan Mitsuko Shirai, een kunstenares met wie geen westerse bleekscheet, man noch vrouw, kan wedijveren.

Het busvervoer van het vliegveld naar mijn onbetaalbare hotel blijkt perfect te zijn geregeld. Het is even schrikken dankzij al die wolkenkrabbers die over de onvoorbereide kijker heen tuimelen. Dan wordt de reisbagage door het buigende hotelpersoneel naar de elfde etage getransporteerd. Met kinderlijk genoegen inspecteer ik het interieur van de hotelkamer. De wc-bril is aangenaam verwarmd, in het bad is het mogelijk te bubbelen en op de televisie brengt een lokale kunstenares Mozarts motet *Exsultate, jubilate* ten gehore aan een zaal vol applaudisserende landgenoten. Dol zijn zij hier op ons, nee, niet op u en mij, maar op onze culturele leidslieden: Mozart en Schubert, Richard Wagner, Johann Strauss en Richard Strauss.

Een vliegreis van elf uur benevens het tijdsverschil van acht uur laat niemand onberoerd. Dus naar bed, in dit geval met de jonge, hoogst aantrekkelijke Alma Mahler. Zij was, zo bevestigen haar dagboeken, een kunstlievende hysterica, van kop tot kont vervuld van doodsverlangen. 'Wie zal mij uit dit labyrint verlossen? Alleen de dood!' Of als alternatief Richard Wagners meest romantische opera, de grote troosteres van alle jonge meisjes met onbestemde, ondefinieerbare gevoelens. 'Het is een onsterfelijk werk, dat me zo in alle staten brengt dat ik het liefst zou willen huilen. Er bestaat maar één opera, mijn Tristan.'

Het straatbeeld vertoont een verheffende en tegelijkertijd enigszins benauwende zindelijkheid. Jonge en wat minder jonge zakenlieden spoeden zich met paraplu naar het nabijgelegen metrostation, waar zij nog een haastige sigaret roken en de as keurig in de afvalbak deponeren. Ik had mij verheugd op het klassieke beeld van een trein waarin de passagiers sardinegewijze door metropersoneel-met-witte-handschoenen in de compartimenten zouden worden geperst. Het tafereel blijft mij helaas bespaard.

De metro naar Ginza, Tokio's winkel- en uitgaanswijk, is even rustig als de tram van Den Haag HS naar Scheveningen. Ginza is, was mij bij de voorbereidingen van mijn reis verzekerd, het gedeelte van de Japanse hoofdstad waar de rijken paraderen. Rijk is in Japan zéér rijk, zij het wat minder rijk dan in het recente verleden. Sinds de beurzen enigszins zijn ingestort, haalt zelfs de Japanse zakenman zijn broekriem aan.

De hostesses in de bars lazen vroeger het Japans Economisch Dagblad, om 's avonds met hun klanten over de aandelenkoersen te kunnen praten. Het is verleden tijd. De gesprekken gaan nu – elders in de stad, zonder zinnenstrelende perspectieven – over faillissementen en herstructureringen. Nergens is de zelfvernietigingsdrang groter dan in het puissant rijke Japan. Bij bosjes storten de gecompromitteerde zakenlieden zich van hun wolkenkrabbers. Het triumviraat van een firma van auto-onderdelen had zich onherstelbaar in de schulden gestoken. Zij huurden drie kamers in een plaatselijk hotel. Eerst dronken de mannen een rustig glas bier in de hotelbar. Te gepaster tijd trokken zij zich terug. Om precies zes uur 's morgens hingen zij zich gedrieën op aan het witte ceintuur van hun respectieve kimono's.

Allicht dat Wagners *Tristan und Isolde* in Japan zo populair is, met Puccini's *Madama Butterfly* (de geisha Cio-Cio-San wordt verlaten door de corrupte Amerikaan Pinkerton en pleegt daarop met welluidende sopraan harakiri) als goede tweede.

Ik koop, ergens ondergronds, een verse tandenborstel. Van de tegenwaarde kan men zich in Nederland een wortelkanaalbehandeling permitteren. De prijzen in Japan zijn zonder meer spectaculair. Een glas bier kost twintig gulden. Voor een bakje rijst met wat vlees betaalt men moeiteloos honderd à honderdvijftig. Wilt u graag de tempels bezichtigen in Kioto, de stad die in tegenstelling tot Tokio in de periode 1941-1945 niet grotendeels werd verwoest? Voor het treinkaartje v.v. wordt de Japanse tegenwaarde van zevenhonderd gulden gevraagd. Wat ik per nacht verslaap, durf ik niet eens in vaderlandse guldens terug te berekenen, om mij de verleiding te besparen het hotelraam te openen en in de richting van de verlossende patio te springen.

Een paar metrostations verder bevindt zich het theater waar ik een paar dagen later de Salzburger enscenering van de *Tristan* zal bijwonen, met Claudio Abbado in de orkestbak ten overstaan van de Berliner Philharmoniker. Ik neem alvast een kijkje in de hal. Er is een soort souvenirstand waarin dezelfde rotzooi wordt verkocht als in alle operahuizen waar ook ter wereld: Mozart in marsepein, Callas als boekenlegger, Wagner als sleutelring. Aan de muur hangen de affiches waarop wordt aangekondigd wat de liefhebbers allemaal te wachten staat. Ik ben verbluft. Die mensen importeren, koste wat het kost, de complete Europese cultuur. De Wiener Staatsoper exporteert Lehárs Die lustige Witwe. De Metropolitan Opera brengt Strauss' *Rosenkavalier*. De Tsjechen komen met *Don Giovanni*. De Nationale Opera van Sofia komt met Puccini's *Turandot*, een kunstwerk dat men toch eerder met de Verboden Stad in Peking dan met het asfalt en beton van Tokio associeert.

Wat sluimert er achter die in westerse ogen zo ondoorgrondelijke façades? Hoe komt het dat er in Nederland geen twee rijen toeschouwers te vinden zijn voor het Wakakusayamani Yaki-voorjaarfestival, terwijl men tegelijkertijd aan gene zijde van de aardbol bereid is om 65 000 yen (ongeveer 1500 gulden) te betalen voor een voorstelling van *Tristan und Isolde*, een opera die hoge eisen aan de kijkers en luisteraars stelt, met name diegenen die niet in het Europese gedachtegoed gepokt en gemazeld zijn?

Tijd voor een hapje. De sukayaki van Seiyo Food Systems Inc. (03/3593/2765) kan ik iedereen aanbevelen. Roken verplicht! Om de hoek bevindt zich een van de weinige tempels die de oorlog zonder schade hebben doorstaan. De jonge tot wat minder jonge zakenlieden beklimmen de trappen en smeken, voor iedereen zichtbaar, de godheid buigend de zegen af. En even moet ik denken aan Gerard Mortier, de toenmalige directeur van de Brusselse Muntschouwburg, die mij ooit in de pauze van zijn eerste *Tristan* heeft uitgelegd dat het volstromen van de operahuizen alles te maken heeft 'met het in een navenant tempo leegstromen van de kerken'.

De theorie gaat in elk geval niet op voor het even gelovige als cultuurhongerige Japan, een land dat geen behoefte heeft aan een deconfessioneel alternatief en waar de kaarten voor de aanstaande drie voorstellingen van *Tristan und Isolde* binnen een uur waren uitverkocht.

Ik spoor terug en overdenk het spanningsveld tussen beide culturen. Iedereen in de metro zit of staat te lezen. God mag weten wat, misschien is het wel de recente Japanse vertaling van Connie Palmens *De wetten*. Als het Concertgebouw een Japanse dirigent over de vloer krijgt, is de reactie meestal voorspelbaar. Het publiek, waaronder veel Japanse bankiers en kantoorbedienden, is enthousiast. De recensenten vinden daarentegen dat de Japanners de materie 'eendimensionaal' benaderen, want zij staan immers niet in de 'westerse traditie'. Het is inderdaad mogelijk dat Gustav Mahlers 'Auferstehn wirst du!' in Wenen beter, authentieker klinkt dan in Assen of Osaka.

Niettemin houd ik niet zo erg van de borstklopperij over onze 'westerse traditie' die er uiteindelijk op neerkomt dat die Oost-Aziatische exoten er eigenlijk beter aan zouden doen om de cultuur van het avondland aan ons, eurocentristische boerenpummels, over te laten. Maar waarom zouden ze? Ik heb nog nooit horen klagen over de wijze waarop al die Japanners zich in het Concertgebouworkest weren op het moment dat er een Mahler, Bruckner of desnoods een Wagner op de lessenaar staat. In elk geval hebben de Japanners een groter vermogen zich in onze cultuur in te leven dan wij in de hunne. Ooit gehoord van een virtuoos op de shamisen (getokkelde luit) uit het Hidagebergte die eigenlijk uit Bloemendaal afkomstig is?

Een herdersuurtje met voornoemde Alma Mahler, reeds een eeuw lang een speciale attractie. Zij was mooi, in heel Wenen begeerd, en toch verslaafd aan de dood als de dronkaard aan de fles. 'Het water glinsterde en glansde, het lokte me, het lonkte en stroomde zo speels van de stuwdam af dat ik maar één verlagen had: me erin te werpen en er nooit meer uit te komen – 'Versinken, ertrinken, unbewusst, höchster Lust…'

Ondertussen kijk ik via de televisie met een half oog naar de parlementaire zelfmoordpoging van de liberale dissident Koichi Kato, die krachtdadige pogingen doet minister-president Yoshiro Mori ten val te brengen. Het is een vreemde ervaring. Je verstaat geen woord maar begrijpt precies wat er aan de hand is. Verrukt volg ik het betoog van het Mori-getrouwe parlementslid Kenshori Matsunami, die geen enkele poging doet om zijn minachting voor de rebellenclub onder stoelen of banken te steken. Wat doet hij? Hij pakt het glas sprekerswater en schudt dat uit over de verhitte koppen van de oppositionele elementen. Dan maakt hij zo'n klassieke Japanse buiging in de richting van de voorzitter van het parlement, om daarna weer zijn zetel in te nemen. Het is een perfecte mixture van conventie en aanvalsdrift, zoals je die eigenlijk alleen in de vrijstaat Beieren aantreft. 'Mit Verlaub, Herr Kollege, Sie sind ein Arschloch.'

Een tv-station verder wordt het *Stabat Mater* van Pergolesi uitgezonden in een geheel Japanse bezetting, op die ene bleekneuzige, van elders geïmporteerde bas-bariton na. Ik grabbel ondertussen een krantenknipsel te voorschijn over de tandarts Seju Kojima, praktijkhoudende in de kapitaalkrachtige Ginza-wijk. Hij probeert de klassieke Japanse waarden in ere te houden. 'Maar zijn kinderen kijken een andere kant op. Zijn dochter doet dit jaar toelatingsexamen voor een conservatorium met als specialisatie het klassieke Europese lied. Ook zijn zoon zingt klassiek Europees. En gaat naar een katholieke middelbare school.'

Plotseling weet ik het antwoord op de vraag die eigenlijk niet zo moeilijk was. Ja, waarom hebben de Japanners meer verstand van ons dan wij van hen? Omdat hun op de universiteit wordt onderwezen wie Goethe was en hun op het conservatorium aan het verstand wordt gebracht dat Mozart een universeel kunstenaar is geweest die te veel betekent om in een eurogecentreerd getto te worden opgeborgen. Er is geen sprake van een geheimzinnig gen, dat via duistere kanalen in Japanse schedels is aangebracht zodat zij plotseling vlekkeloos Brahms' *Vier ernste Gesänge* ten gehore kunnen brengen. Het is geen kwestie van imitatie of annexatie of reproductie. Het is een kwestie van opvoeding en beschaving, niets meer en niets minder.

Is het geen ongeëvenaarde luxe om op een willekeurige donderdagavond, op tienduizend kilometer afstand van het Waterlooplein, te midden van tweeduizend Japanners een voorstelling van *Tristan und Isolde* bij te mogen wonen, met de Berliner Philharmoniker, sowieso een van 's wereld toporkesten? Verzaligd zak ik weg in mijn parterrezetel in het vaste voornemen in geen der drie bedrijven weg te dommelen, want zoiets kost je toch al gauw *f* 22,50 per minuut. Diep in mijn hart weet ik echter: dit keer gaat het niet om het kunstwerk, maar om de pauze van het kunstwerk, het halfuur waarin ik een nadere poging kan doen de diepten van de Japanse ziel te doorgronden.

Op het podium gaat inmiddels iedereen zijn routineuze gang. Isolde bruuskeert Tristan. Tristan beledigt Isolde, totdat de kamenierster Brangäne hun de doodsdrank offreert, die eigenlijk een liefdesdrank is.

'Tristan!'

'Isolde!'

'Treuloser Holder!'

'Seligste Frau!'

Het publiek verschilt in feite niets van de liefhebbers in New York of Wenen, behalve dat het een maatje kleiner is. De wereld van de bohème en de haute finance kent geen grenzen meer. Meneer eet een sandwich Forestier. Mevrouw stopt haar camera in een tas van Harrods Knightsbridge. Gedisciplineerd wachten zij op hun glas champagne. Keurig brengen zij dit champagneglas na gebruik weer terug. Om vervolgens het tweede anderhalf uur te ondergaan van een overgecompliceerde opera die men overal zou verwachten, behalve in de hoofdstad van het land van de rijzende zon.

De handeling wordt hervat. Tristan en Isolde praktiseren de fatale vrijage die hun het leven zal kosten. Zieltogend ligt Tristan op zijn rots, in de hoop dat de gealarmeerde Isolde hem dankzij haar verpleegsterservaring nog redden zal.

Te laat!

Applaus. Bravogeroep naar Milanees model. Zakken en halen. Een Japans meisje geeft Isolde de eerste bos bloemen, die hiervoor met een genadig knikje bedankt. Brangäne krijgt de tweede. Het meisje buigt. De zangeres buigt terug. Het is een emotioneel moment. De twee culturen streefden er ooit naar elkaar naar het stenen tijdperk terug te bombarderen. Nu, vijftig jaar later, celebreren zij gezamenlijk, in alle vrede, een werk van Richard Wagner, een politieke blindganger, zij het een groot kunstenaar, wiens ideologische dwaalwegen inmiddels in het moeras zijn gestrand.

Zo is het uiteindelijk toch allemaal nog goed gekomen, de ongelukkige gebeurtenissen in de gemeenten Hiroshima en Bayreuth ten spijt. Een mens moet weten te vergeten en te vergeven. Hooggestemd spoor ik in de richting van het hotel. Nog één glaasje beaujolais premier à ƒ 47,50 en dan ga ik lekker met de Vliegende Hollander naar bed.

IV

MEMORABELE MINDERHEDEN

Ik was er een mensenleven lang niet geweest, de voormalige r.-k. leesbibliotheek Pax waar ik als jongetje de boeken van Karl May leende, zowel de Midden-Westerse waarin de indianen werden gediscrimineerd én geïdealiseerd, als de Noord-Afrikaanse waarin de Arabieren belachelijk werden gemaakt. Nu ging het in dit gedeconfessionaliseerde 'Party Center' over het lot van de Palestijnen, verbitterd strijdend om die paar vierkante kilometer land die hun toentertijd door de Israëli's is ontnomen.

De organisator was Een Ander Joods Geluid, een groep vooruitstrevende, vredelievende Nederlandse joden die weigeren met de haviken mee te huilen. Allerliefste mensen die zich tot taak hebben gesteld het meest onoplosbare aller politieke conflicten op te lossen, een conflict waarin gelijk enigszins tegenover gelijk staat. De rotsvaste zekerheid van het eigen gelijk bevordert echter zelden een discussie. Er werd in Pax dan ook niet zozeer gediscussieerd als wel gejammerd. Waarachtig, het was of de oudtestamentische Klaagmuur naar de Ferdinand Bolstraat te Amsterdam was verplaatst.

Het is begrijpelijk. De staat Israël is een voorbeeld van gestrand idealisme, hetgeen elke beschouwing over het bestuurlijk falen een aangebrand karakter geeft. De gevoerde politiek – meenden de sprekers – is geen misdaad, maar (erger) een fout, een fout van iemand die niet beseft dat een guerrillaoorlog niet te winnen valt. Het maakt voor de Palestijnen niets uit wie in Israël aan de macht is, de rechtse Likoed of de linkse Arbeidspartij, het is allemaal lood om oud ijzer.

'En ik ben van mening dat joden geen haar beter zijn dan nietjoden,' zei een mevrouw. 'Geef mensen macht en ze maken er misbruik van.'

Ed van Thijn, de voorzitter van de vergadering, was het daar niet mee eens. 'Jodendom verplicht', zei hij. 'Wij hebben Auschwitz niet overleefd om te worden als alle anderen.'

Zijn joden even racistisch als hun toenmalige vervolgers? Er werden wat weinig opwekkende voorbeelden gegeven: Shamir die de Arabieren met kakkerlakken zou hebben vergeleken, Rabin die de joodse ziel menselijk en de niet-joodse ziel dierlijk zou hebben genoemd.

En hoe is het met de rol die de Palestijnen in de Israëlische schoolboeken spelen?

'Die is nog steeds slecht,' zei een deskundige. Ongetwijfeld. Maar zo slecht als de rol van joden in de Palestijnse schoolboeken kan het onmogelijk zijn. Ik had die middag net het kersverse dossier onder ogen gekregen dat in het Franse blad *l'Arche* is gepubliceerd. Het documenteert hoe de Arabische kindertjes van zeven tot zeventien worden opgevoed.

Níet tot vredesduif. De achtjarigen wordt het volgende gedicht geleerd: 'Wij zijn de jeugd en wij hebben de toekomst. Wij marcheren, de dood trotserend. Voorwaarts! Voorwaarts! Wij sterven, zonder te zijn vernederd.'

Het is verplichte lectuur, zowel in de Gazastrook als in de binnenlanden van Afghanistan. Daar kan dus alleen maar moord en doodslag van komen.

Twee verplichte vragen aan de twaalfjarigen, ontleend aan het instructieboek islamitische opvoeding: 'Waarom haten de joden de islamieten?' 'Geef een actueel voorbeeld van het boosaardige gedrag van de joden.'

En na afloop van de les zingen de lieve kleinen: 'Moeder, ik vertrek! Maak mijn lijkwade klaar. Moeder, ik marcheer de dood in en ik aarzel niet. Moeder, ween niet als ik in mijn graf lig, want de dood schrikt mij niet af. Het is mijn lot als martelaar te sterven.'

Enige verplichte vragen, volgens het handboek voor de onderwij-
zer te stellen aan kinderen van zeventien: 'Vertel waarom de christelijke wereld al sinds de oudste tijden de joden haat. De leerling
moet antwoord kunnen geven op de vraag waarom de hele wereld
zo'n hekel aan de joden heeft. De leerling moet in staat zijn uit te
leggen waarom de Europeanen de joden hebben vervolgd.'

Zo vergiftigt men de Arabische jeugd, concludeert *l'Arche*, waarmee het weer iets duidelijker is waarom die kinderen stenen en mo-
lotovcocktails naar de gedemoniseerde Israëlische overheerser gooi-
en.

Opgehitst door hun opvoeders, die op hun beurt via de boek-
handels en boekenstalletjes te Cairo en Damascus worden gebom-
bardeerd met de puurste antisemitische lectuur. Het boek 'Ana-
tomie van een vervalsing: De geschiedenis van de Protocollen van
de Wijzen van Zion' beschrijft de strategie waarmee de joden zich
van de wereldheerschappij meester willen maken. Dit geschiedt
door het geloof in diskrediet te brengen, de jeugd met subversieve
denkbeelden te injecteren, luxe en ontucht te stimuleren en zo'n
rampzalige economische crisis te provoceren dat de democratische
rechtsorde vervangen zal worden door mondiale joodse terreur. Zij
vormen, zegt de schrijfster, 'in de belangrijkste Arabische landen
een deel van de officiële literatuur, verschijnen bij de meest vooraanstaande uitgeverijen en worden door de officiële media geci-
teerd'.

Op de tentoonstelling 'Duistere machten', een boekenexposi-
tie in de Leidse Universiteitsbibliotheek, weet je niet wat je ziet.
Een recente uitgave van de voornoemde Protocollen en een Arabische uitgave van *Mein Kampf*, geschreven door de dekselse Adolf
Hitler, de man 'die tegen de zionisten gestreden heeft'. Plus een
aantal voorbeelden van de puurste politpornografie over joodse
prostituees die door de Israëlische geheime dienst de kasba wor-

den ingezonden om daar aids en ellende, ontucht en smeerlapperij te verspreiden. 'Het is een feit dat een relatief groot aantal anti-joodse en anti-Israëlische pamfletten circuleert,' constateert de catalogus. 'Aan de buitenkant van de boeken vallen de verschillende antisemitische stereotypen direct op, de inhoud is ook vrij voorspelbaar en niet zelden eindigen zij met een oproep van de auteur om de heilige plaatsen in Jeruzalem te bevrijden.'

Hoe sympathiek dat 'ander joods geluid' ook is, het gaat voorbij aan het feit dat de Palestijnse zaak een regelrechte antisemitische component heeft, die wetmatig tot moord en doodslag leidt.

In de pauze ging het over de fooi die elke door de nazi's vervolgde Nederlandse jood krijgt, als beloning voor het feit dat hij of zij het er nog net levend heeft afgebracht.

Groot is de geestdrift niet.

'Veertienduizend gulden. Eigenlijk schaam ik me de ogen uit m'n hoofd.'

'Ben ik met je eens. Wat moeten we met dat ellendegeld?'

'Het schijnt dat Amnesty een speciaal fonds voor vervolgingsslachtoffers heeft.'

'Dat lijkt me wel wat.'

Er werden adressen uitgewisseld. En het betreffende postrekeningnummer (454000). Allerliefste mensen, ik zei het al. Als zij het voor het zeggen kregen, in het Midden-Oosten of elders, zou de wereld heel wat beter bewoonbaar zijn.

Aan de overkant van de straat passeren drie jongens, gekleed in regenbestendig leer. 'Meneer, wat hebt u toch een mooie hoed op!' roept een hunner. Is dat niet aardig? Zo'n compliment krijg ik van heteroseksuele zijde zelden of nooit. Vertederd wandel ik verder in de richting van mijn kantoor.

Daar neem ik, in afwachting van de Canal Parade, plaats achter het raam, met uitzicht op de gracht. Ik heb het goed getroffen vanmiddag. Een plaats in de ereloge ter bezichtiging van de homoseksuele exotica, die direct op vijftien meter afstand voorbij zal dobberen. Een glaasje binnen handbereik, een sigaar in de rechtermondhoek. De tijdrit van de Tour op de televisie, geluidloos, want tegelijkertijd zendt de radio, rechtstreeks uit Bayreuth, Wagners *Götterdämmerung* uit. Wist u dat die Wagner ook al een homo is geweest? Neem de scène met de bloemenmeisjes in zijn *Parsifal.* Die doet denken aan de homoseksuelen die graag met vrouwen lachen en grapjes maken en zelfs flirten, maar ervandoor gaan als er méér van hen wordt verwacht (*Richard Wagner und die Homosexualität,* 1903). In werkelijkheid kon de componist op zijn oude dag ook al niet van die bloemenmeisjes afblijven, wat tot zo'n verschrikkelijke ruzie met Cosima Wagner leidde dat hij even later aan een fatale hartaanval zou sterven.

Daar is onder gejoel en gejuich de eerste boot, bevolkt door danstypes met de vijf olympische ringen op hun hoofd die het Internationaal Olympisch Comité op auteursrechtelijke gronden heeft verboden. In het antieke Olympia was men in dit soort zaken heel wat minder kleinzielig. Het vaartuig wordt gesponsord door de 'GayLM en de Luftschwanza'.

Zou er zoiets als homoseksuele humor bestaan? En hoe is toch het misverstand in de wereld gekomen dat de homosien door kirrende kippenborsten wordt gedomineerd? Moet je zien wat er allemaal voorbijdeint! Het zijn de neefjes van Arnold Schwarzenegger, breed geschapen en met spieren als kabeltouwen. Wiegend op het grachtenwater etaleren zij hun masculiene en musculaire pracht. 'Everybody happy?' Toch schijnt er in dit milieu, ondanks alle vertoon aan glitter, veel stille armoede te bestaan, blijkens het feit dat menigeen niet eens een behoorlijke broek aan zijn kont kan betalen.

Kijk, daar is de mascotte van de Gay Games, Frau Antje, met een bierbuik als een zwangere potvis. Er is van homoseksuele zijde de vrees uitgesproken dat de 'relnichten' zich van de manifestatie meester zullen maken. Relnichten? Wat zijn dát nou weer? De enige homo's die ik ken, zijn van het soort dat boeken leest, nooit een darkroom betreedt en in de pauze in het Muziektheater deskundig commentaar op het gebodene levert.

Vandaag is het echter de dag voor de wat extravertere artistieke voorkeuren. 'Jong zijn is fijn, al doet het soms pijn… boemboemboemboemboem.'

Die *Götterdämmerung* uit Bayreuth kan ik dus net zo goed uitzetten. In ruil voor het geluid van de Tour. 'De Tour lijkt beslist,' zegt Mart Smeets, 'en de regen speelt inmiddels ook een woordje mee.' Net als bij ons waar, vlak onder m'n neus, de eerste paraplu's worden opgestoken. We houden het toch wel enigszins droog, hoop ik? Als onze, veelal voor slechts een kwart geklede homosporters vanmiddag kouvatten, wordt het straks niks met het gelijkgeslachtelijke discuswerpen en kogelstoten.

Ja, de spanning is eruit, zowel in La Grande Boucle als bij de Canal Parade. Het gejuich en gezang is verstomd. De eerste toeschouwers breken op, een politiebootje sluit de varende armada af, het roze beklimt de kademuren, gereed om gay city Amsterdam een week lang vreedzaam op stelten te zetten.

Het Parool is twee dagen later het enige landelijke dagblad dat (in kleur) de collectie blote herenbillen aandurft. In *Trouw* klaagt een lezer over de 'blasfemische homo-erotische tekeningen van Johannes de Doper die Jezus besprenkelt, gepaard gaande met een innige omstrengeling'. *De Telegraaf*, geen onderdeel van het hoofdstedelijk hedonisme, beperkt zich tot de financiële schandalen die inmiddels zijn losgebroken. Zo dreigen de vooroordelen te worden bevestigd: homo's zijn vriendelijke warhoofden, zonder besef van geld.

Het bestuur van de Gay Games, zich van dit gevaar bewust, doet alles om de kwestie te individualiseren. Het is allemaal, enkel en alleen, de schuld van de directeur, die inmiddels is afgezet en thuis 'gebroken' de feestelijkheden aan zijn neus voorbij ziet gaan. Beschikt een miljoenenorganisatie als de Gay Games dan niet over een boekhouder die weet dat je tien deftige limousines kan huren maar er wel rekening mee moet houden dat zelfs in Nederland de benzine niet gratis is? En moet in dat bestuur toch niet minstens één financieel expert zitten die beseft dat de KPN niet alleen de telefoonlijnen maar ook de gesprekskosten pleegt te declareren?

In café Schiller is een talkshow belegd over het onderwerp homo-en-lesbo-in-uniform. Dit gesprek wordt voorafgegaan door een persconferentie van het bestuur van de Gay Games, bijgewoond door de Amsterdamse wethouder van Financiën. Hij heeft, zo blijkt, de manifestatie onder curatele geplaatst. Een politieman en een politievrouw, in volle gevechtsbepakking, betreden de zaal, gevolgd door een anderhalf meter hoog wandelend condoom, dat mij een aan een blauw lint bengelend preservatief om de hals hangt.

Wat is de bijdrage van de gemeente Amsterdam aan de gerezen problemen, vraagt *De Telegraaf*.

Het is een overbruggingskrediet van vijf miljoen gulden, zegt de wethouder. Met dit genereuze gebaar zijn de spelen gered en is 's lands hoofdstad definitief van gay city tot gay Utopia gepromoveerd.

In de aansluitende talkshow zijn louter positieve geluiden te beluisteren. Wensen homo's of lesbo's tot het Amsterdamse politiekorps toe te treden? 'Er is geen enkel probleem meer. Wij voelen ons tegenwoordig volkomen veilig.' Er wordt alles aan gedaan om de in moeilijkheden geraakte homo de drempel van het politiebureau over te krijgen. 'Zo houden wij tweemaal per maand spreekuur in het coc en beschikt elk wijkbureau over een politieman of politievrouw die in anti gay behaviour is gespecialiseerd.'

De toehoorders, in meerderheid Amerikanen, gorgelen van verrukking. Wat een stad, wat een land, waar dat allemaal maar kan!

'Maar Winterswijk…' zegt de gespreksleider nuchter. 'En Delfzijl… En Enschede…' Dat is de stad waar hij is opgegroeid, zodat hij wel beter weet.

Dansend en zingend gingen zij de Gay Games in, zingend en dansend gaan zij de Gay Games uit. Het lijkt mij trouwens tamelijk treurig altijd zo vrolijk te moeten zijn.

SCHRIJFT LISETTE JOODS?

Schrijven joden anders, beter, slechter, geestiger, saaier, ingetogener of opgewondener dan niet-joden? Zo vroeg ik mij af op de door de Stichting Literaire Activiteiten Utrecht georganiseerde bijeenkomst naar aanleiding van de verschijning van de bundel *Oudergewoonte*, die tien verhalen 'in de joodse traditie' bevat.

Wat was Frans Pointl weer vertederend! Eriek Verpale? Nooit van gehoord. Ten onrechte, zoals uit zijn voordracht bleek. De enige die beleefd had bedankt, was Lisette Lewin. 'Dat ik een jodin ben is waar, en het is onvermijdelijk dat ik er ook over schrijf,' liet zij schriftelijk weten. 'Het is nu eenmaal een deel van mijzelf. Maar dan word ik wel uitgenodigd vanwege de boeken die ik heb geschreven. Met de meeste andere joodse schrijvers van het ogenblik heb ik niets gemeen, behalve dat we joden zijn. Opdraven voor een niet-joods publiek om uit te leggen wat het jodendom voor mij betekent, samen met een stelletje andere joden, alsof we bij elkaar horen, doe ik niet (meer). Ik ben een Nederlandse schrijfster, al ben ik een jodin. Ik beweeg me liever buiten het getto.'

Inderdaad, wat is een joodse schrijver? Is Franz Kafka, behalve een jood, ook een joodse schrijver, in de zin dat zijn werk in een bepaalde joodse traditie staat? Er is echter niet zoveel joods in het oeuvre van Franz Kafka, behalve in de ogen van zijn vriend en sokophouder Max Brod, die achter elke ondergesneeuwde graspol een gecamoufleerde jood vermoedde. Maar behalve een joodse Kafka-interpretatie bestaat er ook een christelijke, fenomenologische, antropologische, marxistische, anti-marxistische, homoseksuele, astrologische en vegetarische Kafka-interpretatie.

Daar komen wij dus niet veel verder mee.

Zowel Otto Weininger (mesjogge) als zijn bewonderaar Karl Kraus (half-mesjogge) was jood. Laten wij ze gemakshalve joodse schrijvers noemen, al was het enige joodse element in hun werk het feit dat zij zo tegen de joden tekeergingen dat zelfs de christenhonden er geen brood van lustten.

Het is voornamelijk een kwestie van thematiek. De christenschrijver bericht over zijn tirannieke vader die in de bijbel woonde. De joodse schrijver schrijft over zijn bemoeizieke, allesbestierende joodse moeder en is tot in het zevende geslacht gedoemd in een getraumatiseerd milieu op te groeien.

'Er bestaat een grote humanistische joodse traditie, die stoelt op het uitgangspunt dat iedereen zijn verantwoordelijkheid moet nemen om de wereld te verbeteren en iets voor zijn medemensen te betekenen,' schrijft Daphne Meijer in de inleiding van haar boek *Joodse tradities in de literatuur*. Het is een speciale uitgave van de vanouds als joods bekendstaande Bijenkorf, het warenhuis dat joodse kleerhangers en joodse schemerlampen verkoopt. Wat zou ik graag in die grote joodse humanistische wereldverbeteraars willen geloven! Helaas ben ik allang van dit geloof gevallen. Het is grotendeels de schuld van al die halfgare rabbijnen die de staat Israël terroriseren, terwijl ik er verder op wil wijzen dat de uitvinder van het humanisme, onze nobele landgenoot Desiderius Erasmus, bij leven en welzijn een enthousiast jodenhater is geweest.

En om het allemaal nog iets ingewikkelder te maken: het meest joodse toneelstuk dat ik ken, is *Andorra* (1961), geschreven door de protestantse Zwitser Max Frisch, en de meest joodse novelle uit de Nederlandse literatuur is *De ondergang van de familie Boslowits* (1946), geschreven door ex-communistische, ex-atheïstische imitatie-katholiek Gerard Kornelis van het Reve.

Als er al verschil tussen een joodse en een niet-joodse schrijver zou zijn, wordt dit nogal opgeblazen. Wordt de joodse schrijver niet gevoed door hetzelfde voedsel, verwarmd door dezelfde zomer, huiverend in dezelfde winter, bezocht door dezelfde muisarm en genezen door dezelfde fysiotherapeut als de christenschrijver? Bedient hij zich niet van hetzelfde merk printer en hetzelfde model tekstverwerker als de christen? Als men hem kietelt, lacht hij dan niet? Als men hem steekt, bloedt hij dan niet? En als men zijn boeken onbillijk recenseert, zal hij dan geen wraak nemen?

Rogi Wieg, dichter en schrijver, aan het woord. Hij oogt als de gereïncarneerde Ischa Meijer zaliger nagedachtenis, inclusief de neuroses en de sympathieke neiging de burger te epateren. 'De eerste keer dat ik er publiekelijk voor uit durfde te komen dat ik een jood ben, is nu al ruim tien jaar geleden,' zei hij. 'Ik gaf een interview aan een weekblad en betrapte mezelf erop dat ik zin had "de jood uit te hangen". Ik was wel benieuwd wat mijn ouders daarvan zouden vinden. Het stond een paar weken later zwart op wit: "De joodse schrijver Rogi Wieg." Nee, pappa en mamma waren er niet blij mee.'

Het is hét thema van de tweede generatie. Vader en moeder zijn beschadigd uit de oorlog gekomen. De oorlog, de jodenvervolging en het jodendom zijn taboe. Dus raken de kinderen op hun beurt beschadigd en belanden zij bij de psychiater. 'Schrijf het op!' zegt de psychiater. Zij schrijven het op en De Arbeiderspers drukt het af.

Desondanks ben ik geneigd het verschil tussen joodse en niet-joodse schrijvers te relativeren. Misschien dat het percentage schrijvers met zo'n ongemakkelijke jeugd in joodse kring wat hoger ligt dan in niet-joodse kring, maar dat is dan ook alles.

Of is het woordgebruik van een christenschrijver, opgegroeid in een lustvijandelijke cultuur, wellicht schraler dan dat van zijn warmbloedige, joodse vakgenoot?

Het leven en werk van de protestant Jan Wolkers bewijst het tegen-deel. Maar hoe staat het dan met Maarten 't Hart, die op zijn beurt is opgegroeid in een milieu waarin de hoogste vorm van vermaak het timmeren van protestants-christelijke doodkisten was?

Dat is ook al geen gelukkig voorbeeld, omdat Maarten 't Hart recentelijk heeft uitgevonden over een voljoodse grootmoeder te beschikken, op welke grond de auteur veronderstelt zelf eveneens 'hartstikke joods' te zijn, al heeft hij direct laten weten dat geen schaamhaar benoorden zijn protestantse penis erover denkt zich aan de bijbehorende besnijdenis te zullen onderwerpen.

Goede schrijvers, Judith Herzberg, Marcel Möring, Lisette Le-win, Carl Friedman, Gerhard Durlacher, Jona Oberski, Andreas Burnier, Frans Pointl en Marga Minco. Zelfs Arnon Grunberg zal er ooit wel komen. Dat zij toevallig joden zijn, is een interessante maar letterkundig gezien grotendeels irrelevante bijkomstigheid.

Nederland is, met vrijwel alle buitenlanden vergeleken, een tolerante natie waarover niettemin flink wat te klagen valt. Bijvoorbeeld over het feit dat deze tolerantie slechts schijn zou zijn. Het is een onmiskenbare misstand dat er nog steeds geen Surinamer zit in de hoofddirectie van De Nederlandsche Bank, zoals er op heur beurt geen enkele vrouw een plaats in de categorie vrij worstelen bij de Olympische Spelen is vergund.

Geduld! Over tien jaar is een geassimileerde Marokkaan eerste burger van Amsterdam en zijn al die vrouwelijke adjunct-hoofdredacteuren gewoon, zonder omwegen, hoofdredacteur bij *de Volkskrant* en elders.

Heb ik wellicht nog een emancipatiehongerige minderheidsgroep over het hoofd gezien?

Het zijn de homo's.

Dezelfde *Volkskrant* heeft een rubriek bedacht waarin de redacteuren bij toerbeurt een 'smeulende kwestie' aan mogen snijden. Willem de Bruin verklaarde dat Karl Marx zijns inziens dé denker van de toekomst is. Michaël Zeeman bepleitte met kracht van argumenten de peuters en kleuters, met hun 'geschop, getrek, gejengel, gehuil, getier en geklier', met behulp van de karwats tot de orde te dwingen.

Toen was de beurt aan *Volkskrant*-redacteur Hein Janssen, de man die voor zijn dagblad het toneel beheert. Zijn brandende kwestie betrof de 'homofobie' die de natie in haar greep dreigt te krijgen.

Homofobie is een net woord voor homohaat. Vrijwel alle voorbeelden die Janssen aanvoert zijn aan zijn eigen krant ontleend.

Laat ik in de veronderstelling hebben verkeerd dat dit dagblad zo vooruitstrevend is! Hoe kan een mens zich zo vergissen? Het is in de hoofdstedelijke Wibautstraat in werkelijkheid, blijkt uit het artikel van Hein Janssen, één grote homofobe klerebende. In het *Volkskrant Magazine* is beweerd dat de kleinkunstenaar Paul de Leeuw 'alleen nog maar leuk is voor homo's en Hema-verkoopsters'. *Volkskrant*-redacteur Peter van Bueren heeft geconcludeerd dat een bepaalde film hooguit voor de 'nichtencrèche' van voornoemde De Leeuw geschikt zou zijn. *Volkskrant*-redacteur Sietse van der Hoek, ten slotte, bekritiseerde het Eurovisie Songfestival als 'een ironisch feest voor homo's en lesbiennes'.

Het zijn 'slechts speldenprikken,' concludeert Hein Janssen. 'Maar toch…'

Wat moet die man ongelukkig zijn! Hij is zelf ongetwijfeld een van die 'mannen die bij mannen liggen', om de apostel Paulus te citeren. En zijn *Volkskrant* blijft, tegen alle progressieve schijn in, een homovijandelijk papenblad. Is dat niet dezelfde krant waarin de columnist Gerry van der List de staf heeft gebroken over de randverschijnselen van de Gay Games, gekenmerkt door nichterig gedrag, geheupwieg, zeurderige toontjes, verwijfde gebaartjes, aanstellerig gedoe en ongegeneerd gestaar naar andermans kruis? Het werd nog een hele affaire, waarin de vierkoppige hoofdredactie (allemaal hetero's!) zich als één man achter de schrijver opstelde, waardoor personen als de homo-overgevoelige Hein Janssen in een kwetsbare positie kwamen te verkeren. Sedertdien schiet de toneelredacteur 's ochtends vroeg schichtig langs de portier, sluipt pantoffelzacht langs de sportredactie (allemaal macho's!) en tikt bevend en met opgetrokken schouders zijn genuanceerde jubelzang op de nieuwe megaproductie van Gerardjan Rijnders, waarin wordt bewezen dat Hamlet, prins van Denemarken, eigenlijk van de verkante

keer is geweest, en met zoveel geestdrift zijn vieze spelletjes met Ro-
senkranz én Guildenstern speelde dat zijn Ophelia zich in opperste
wanhoop in de kroosrijke Boerenwetering heeft verdronken.

Smeulende kwesties als die van Hein Janssen scherpen de kritische zin, ook ten aanzien van de vooruitstrevende *Volkskrant.* Co-
lumniste Annemarie Oster (hartstikke hetero!) signaleert de 'rouw-
douwerige homokaravaan' die de Amsterdamse binnenstad onvei-
lig heeft gemaakt. Het is hetzelfde evenement dat door *Volkskrant-*
redacteur Ben Haveman (hartstikke hetero!) is geïroniseerd als het
visitekaartje van het Sodom & Gomorra aan de Amstel, waarin de
Gay Canal Parade, Sail 2000 en de Uitmarkt over elkander tuimelen. 'In plat-Mokums heet dat: "Na de poten komen de boten en
de cultuurmalloten".'

Getsieverdikkie!

Over de positie van de homo's in Hoogezand-Sappemeer kan ik
niet oordelen. Amsterdamse homo's hebben in elk geval niets te
mopperen. Zij zijn er inmiddels een onderdeel van de dominante
cultuur, met name in het artistieke leven, waarmee ik vrede heb,
want het aardige van homo's is dat zij weten dat het menselijk
bestaan méér te bieden heeft dan het vreugdeloze urinoir op de
hoek van de Keizersgracht en de Utrechtsestraat. Met swingende
billen dobberden zij tijdens de Gay Pride door de Amsterdamse
grachten, waarbij het geluidsvolume van de homoherriemuziek nog
net binnen de aanvaardbare grenzen werd gehouden. Iedereen was
gelukkig en blij, behalve Hein Janssen, kritisch homowatcher van
de Volkskrant, in de wetenschap dat een smeulende kwestie per definitie een brandende kwestie wordt, met zijn eigen *Volkskrant*-col-
lega's in de rol van homofobe pyromanen.

'Homo's maken zich vaak druk om van alles en nog wat,' zegt
Hein Janssen. 'Ze klagen de paus aan, ze klagen dat ze op hun boot-

jes te weinig lawaai mogen maken, ze klagen erover dat ze op de openbare weg niet in hun blote kont mogen lopen. Maar ze zouden alerter moeten zijn op een nieuw gevaar dat op de loer ligt.'

In Amsterdam? In 's werelds homohoofdstad? In de Reguliersdwarsstraat en wijde omgeving? In de Pijp? In café Krom of in Grand Café Luxembourg? In de Duif, de Doffer of de Westerkerk? In de Grote Zaal, de Stadsschouwburg, in de Kleine Zaal en in het Muziektheater?

Flikker toch op, man!

V

GOETHE... EN GEEN EINDE

Het Nationaltheater te Weimar, dat 's avonds feestelijk zou worden heropend, is voor driekwart gevuld met ex-communistische
karpatenkoppen wier ouders en grootouders nog achter Hitler
hadden aangelopen.

Op het programma staat Goethes *Faust*, deel een en twee.

Wat anders?

Goethes *Faust* is de vaderlandse icoon, het bewijs van de Duitse
scheppingskracht, een toneelstuk dat daarom, onder welk regime
dan ook, al anderhalve eeuw integraal en traditioneel op de planken moet worden gebracht. Niet in het Weimar van nu. Het publiek wordt handhandig uit de halfslaap gehaald. Faust drinkt co-
la. Zijn leerling Wagner eet een frikadel. Mephisto is een sigaret-
tenrokende nicht die via een mobiele telefoon met God (een lijzige
meisjespuber) telefoneert. 'Dit is het wapen dat ik draag,' zegt de
duvelse kerel en legt met een obscene oogopslag een hand op zijn
gulp.

Het is al met al gematigd-vooruitstrevend compromistoneel,
dat in Nederland al twintig jaar geleden zou worden uitgefloten.
Hier, in Weimar, is het anti-goetheiaanse godslastering, waarvoor
niettemin beleeft wordt geapplaudisseerd, want de ex-communis-
ten zijn door de communisten tamelijk goed opgevoed.

Bij de garderobe word ik door een Nederlandse tv-equipe op-
gewacht.

Heb ik mij geamuseerd?

'Het was heerlijk,' zeg ik. 'Aanstootgevend, maar keurig. Tijdens
de Walpurgisnacht neukten ze met een broek aan.'

Faust is het ijkpunt van de Duitse klassieke toneelliteratuur, zoals *Hamlet* het voor de Engelsen is en de *Gysbreght van Aemstel* het voor de Nederlanders is geweest. Met monologen van ongeveer een halfuur die zo prachtig zijn dat de halve zaal zit te knikkebollen. Die worden inmiddels, zelfs in Weimar, tot te verdragen proporties teruggebracht. Het stuk is namelijk helemaal niet zo slecht, maar het moet zeker met de helft worden bekort. Een ongecastreerde *Faust* is een soort plaatsvervangende godsdienstoefening, een 'deutsche Pflicht' in plaats van een 'deutsches Vergnügen', zoals de acteur-regisseur Gustaf Gründgens (zelf zeshonderd maal Mephisto) constateerde.

In Goethes tijd hadden de schrijvers, dichters, componisten en schilders ten minste een *Faust* op hun conto staan. In Goethes woonhuis vond in 1824 de ontmoeting plaats tussen Goethe en de jonge Heinrich Heine. Heine was vanuit de Harz naar Weimar gewandeld en maakte, zoals het in die dagen betaamde, zijn opwachting bij zijn collega. Het viel hem lelijk tegen dat de vereerde kunstbroeder inmiddels tot een soort monument bleek te zijn versteend, met alle stijfheid en formalisme van de soort. 'En vertelt u mij eens, meneer Heine,' vroeg Goethe, 'waar bent u op het ogenblik mee bezig?' 'Met een *Faust*, meneer Goethe,' antwoordde Heine, wat niet erg tactvol was tegenover een oude man die zich op dit terrein niet graag beconcurreerd voelde. Het onderhoud was dus snel afgelopen. 'Heine aus Göttingen,' noteerde Goethe op diepvriesniveau in zijn dagboek.

Faust heeft in Nederland nooit vaste voet aan de grond gekregen. Waar, buiten Duitsland, eigenlijk wel? Zelf lees ik altijd met veel plezier de Nederlandse vertaling van C.S. Adama van Scheltema uit 1911. Het is soms vermakelijke lectuur, getuige bijvoorbeeld de scène waarin Fausts poedel – een unicum in de wereldliteratuur – met u wordt aangesproken:

Wees rustig, poedel! Draaf niet zo heen en weder!
Wat snuffelt gij aan de drempel daar?
Leg u hier achter de kachel neder,
Mijn beste kusse' ligt voor u klaar.
Brom niet zo, poedel! Bij de heilige tonen,
Die nu mijn ganse ziel verrassen,
Kan dat dierlijk geluid niet passen.

De herdichting werd in 1918 door n.v. Het Tooneel, het gezelschap van Willem Royaards, op de planken van het Paleis voor Volksvlijt gebracht. Jacqueline Royaards-Sandberg speelde Gretchen. 'De voorstelling was als prestatie verbluffend,' schrijft zij in haar memoires, 'en met de muziek van Diepenbrock groots bedoeld. Er waren prachtige momenten, maar de Faust is geen toneel. Goethe is nu eenmaal geen toneelschrijver.'

Faust in Nederland, het zijn de drie citaten die vrijwel elke Hollandse intellectueel tot zijn beschikking heeft. 1. Zwei Seelen wohnen, ach! in meiner Brust! 2. Zwar weiss ich viel, doch möcht' ich alles wissen. 3. Da steh' ich nun, ich armer Tor! Und bin so klug als wie zuvor. *Faust* en Nederland, het is de Juwelenaria uit de *Faust* van Charles Gounod in de vertolking van de prima donna Bianca Castafiore: 'Ha, ik lach bij het zien van mijn schoonheid in dees' spiegel! Zijt gij dat, Margaretha? Antwoord, antwoord, antwoord snel!'

Goethe in Nederland, het heeft weinig te betekenen. Het zijn tweeëntwintig import-Duitsers en die vier hoogbejaarde Duitse joden die regelmatig heen en weer pendelen tussen het Goethe Instituut te Amsterdam en het Goethe Instituut te Rotterdam. Voor de rest is Goethe in Nederland niet meer dan de schamele vijf vermeldingen in het naamregister van *De Compositie van de Wereld*, de studie van Goethekenner Harry Mulisch. In werkelijkheid is Goethe het prerogatief van Boudewijn Büch, wiens monografie *Goethe en geen einde* de onsterfelijke zin bevat: 'Soms schrik ik wakker en dan vraag ik me af: Wat zou Goethe over het Panamakanaal gedacht kunnen hebben?'

Goethe in Nederland. In het letterlievende Amsterdam, een paar jaar geleden nog de culturele hoofdstad van Europa, is de dichter en denker tot op heden geen doodlopende straat of steeg vergund. Het betreft een denker en dichter die zelfs de leraar Duits, voor zoverre die te onzent nog emplooi heeft, niet meer interesseert. Het is hoogstens de hoofdstedelijke Schillerbar, die trouwens naar een schilderende hotelier is genoemd, en niet naar Goethes vriend en collega Friedrich Schiller, die in de Amsterdamse Stadsschouwburg eveneens nooit een poot aan de grond heeft gekregen.

Wat had Goethe graag gezien dat Mozart nog in leven was geweest, de componist die hij bij uitstek geschikt achtte om *Faust* op muziek te zetten. De dichter was zo door de materie bezeten dat hij eigenhandig een vervolg op de opera schreef: *Die Zauberflöte*, deel twee. Het werk was gedoemd verstoft, vergeeld en vergeten in de archieven te belanden. Bovendien bleef het libretto onvoltooid omdat de dichtervorst, zegt de wetenschap devoot, 'halverwege het scheppingsproces begon in te zien dat in deze fragmenten het woord zo volmaakt gestalte had gekregen dat het onmogelijk bleek er muziek bij te vervaardigen'.

Dat valt bij lezing enigszins tegen. In feite is Goethes libretto vrijwel even beroerd en rammelend als het libretto van *Die Zauberflöte*, deel een. Goethe voert menige oudgediende ten tonele. Om te beginnen de demonische Moor Monostatos: 'Erhebet und preiset, Gefährten unser Glück! Wir kehren im Triumphe zur Göttin zurück.' Dat is dus de bar slechte Koningin van de Nacht. Samen roven zij het kind van de inmiddels gelukkig getrouwde Pamina (nobel) en Tamino (edel). De gevangene wordt opgesloten in een gouden kist. Ondertussen beklagen Papagena en Papageno zich over het feit dat hen tegen alle beloften in nog steeds geen kinderzegen is gegund. Magisch tovergefluit. Geklingel op het betoverde klokkenspel. Moraliserende woorden van de wijze Sarastro. Papagena en Papageno krijgen eieren waarop hun nageslacht wordt uitgebroed en het kind van Pamina en Tamino weet op bovenaardse wijze uit zijn gevangenschap te ontsnappen. Het roept zijn ouders tegemoet: 'Hier bin ich, ihr Lieben! Und bin ich nicht schön? Wer wird sich betrüben sein Söhnchen zu sehn?'

Dat geen componist zich aan dit ge-ulevel heeft gewaagd, zal dus niemand verbazen.

Goethes *Faust*, in de Franse vertaling van Gérard de Nerval, maakte een verpletterende indruk op Hector Berlioz, aankomend dirigent en componist te Parijs. 'Vanaf het eerste moment was ik gefascineerd door dit wonderlijke boek. Ik kon het niet meer wegleggen. Ik las het onophoudelijk, aan tafel, in de schouwburg, op straat, overal.' Het inspireerde hem tot zijn *Huit scènes de Faust*, een werk dat hij bij nader inzien zo beroerd vond dat hij een wilde klopjacht op de kopieën ondernam. Niettemin vormden deze Acht Scènes de basis van *La Damnation de Faust*, een kunstwerk waarop weinig valt aan te merken.

Toen maakte Berlioz kennis met Franz Liszt. 'Ik sprak met hem over de *Faust* van Goethe, die hij niet gelezen bleek te hebben, zoals hij mij bekende en waarvoor hij weldra even enthousiast was als ik. Wij voelden ons sterk tot elkaar aangetrokken en sedertdien is onze relatie alleen maar steviger en inniger geworden.'

Het schrijven van La *Damnation de Faust* ging Berlioz opmerkelijk gemakkelijk af. 'Ik schreef wanneer ik kon, in het rijtuig, in de trein, op de stoomboot en zelfs in de steden, ondanks de beslommeringen die de concerten met zich meebrachten.'

En de Duitse muziekcritici maar kankeren toen het werk hen onder ore kwam. Berlioz (Fransman) had niets van Goethe (Duitser) begrepen. Hij had het werk geweld aangedaan door zomaar hele episoden te schrappen, luidde het verwijt. Ja, wat wil je bij een tweedelig monsterwerk dat rond vierhonderd pagina's tekst en naar schatting negenentachtig rollen omvat! 'Ik heb mij dikwijls afgevraagd,' schreef Berlioz later, 'waarom diezelfde critici mij geen enkel verwijt hebben gemaakt ten aanzien van het libretto van mijn *Roméo et Juliette*, dat maar weinig op Shakespeares onsterfelijke tragedie lijkt. Het komt waarschijnlijk omdat Shakespeare geen Duitser is. Patriottisme! Fetisjisme! Idiotisme!'

Zij waren allemaal door *Faust* gefascineerd. Robert Schumann componeerde zijn *Szenen aus Goethes Faust*, Wagner schreef een Faust-ouverture, Louis Spohr schreef de opera *Faust*, net zoals Charles Gounod en Busoni, en Franz Liszt schreef een Mephisto-polka, vier Mephisto-walsen en een Faust-symfonie.

Liszt dacht principieel in heroïsche categorieën. Was hij niet bezig met een portret van Hamlet, had hij wel een Hunnenslacht onderhanden. Hoe had hij de lokroep van Faust kunnen weerstaan?

Dat deed hij dan ook niet. In eerste instantie verdronk hij in het overvloedige materiaal, net zoals dat Berlioz was overkomen. Toen hij zich aan zijn driehonderd pagina's omvattende partituur had ontworsteld, presenteerde hij op 5 september 1857 een sterk gereviseerde versie. In het Nationaltheater te Weimar. Het was ter gelegenheid van de onthulling van het dubbelstandbeeld van Goethe en Schiller, aan de voet van de schouwburg, hetzelfde monument dat tot op heden door de groothoeklens van tienduizenden Goethefans (en enige honderden Schillerliefhebbers) wordt bekeken.

Waarom hoort men deze Faust-symfonie zo weinig? Dat is niet duidelijk. Het is een werk van Mahleriaanse allure. Er wordt geen enkele poging gedaan het verhaaltje na te vertellen, zoals een tweederangscomponist zou hebben gedaan. Er worden drie kloeke portretten geschetst, van Faust, van Margarethe en van Mephisto.

De duivelse intrigant is de verliezer, dat is duidelijk, al was het alleen al dankzij het triomfantelijke chorus mysticus uit *Faust II*, waarmee ook Gustav Mahler zijn Achtste symfonie zou besluiten:

Alles Vergängliche
Ist nur ein Gleichnis:
Das Unzulängliche
Hier wird's Ereignis:
Das Unbeschreibliche
Hier ist's getan:
Das Ewig Weibliche
Zieht uns heran.

De schrijvers aller landen, van Michail Boelgakov tot Nikolaus Lenau en Jack Kerouac, waren navenant door het thema gegrepen. De erepenning gaat echter zonder concurrentie naar Thomas Mann en zijn roman *Doktor Faustus*.

De hoofdpersoon is een Faustische componist, die op de meest gewaagde wijze, via een duivelse uitvinding als de twaalftoonsmuziek, de grenzen van het menselijk mogelijke aftast. Zijn oratorium *Apocalipsis* beweegt zich tussen estheticisme en barbarij, met spreekkoren, meerdere orkesten, polyfoon gezang, paukenglissandi, gestopte trompetten, vrije ritmiek, syncopische jazzeffecten, parodieën op het impressionisme, parodieën op de burgerlijke salonmuziek, wildgeworden wurgengelen en Babylonische hoeren, gejoel, gekrijs, gehinnik, gemekker en gehuil. Het is een onmiskenbaar contemporain werk dat zijn eerste – en voorlopig laatste – uitvoering in 1926 beleeft, onder auspiciën van de Internationale Gesellschaft für Neue Musik in Frankfurt.

'Onder Klemperer,' meldt Mann tussen haakjes.

Wie anders?

Met die Faustische componist is vanzelfsprekend Arnold Schönberg bedoeld.

Wie anders?

En geen van allen zijn zij, componisten en schrijvers, erin geslaagd zich blind en doof te tonen voor Mephisto's aantrekkingskracht. In zijn schaduw verbleekt Faust tot een jammerende egomaan en Margarethe tot een katholieke kwezel.

Neem alleen al de manier waarop hij zich bij Faust, zijn aanstaande slachtoffer, introduceert.

'Nu goed, wie zijt ge dan?' vraagt Faust.

'Een deel van gene kracht, die steeds het goede schept en steeds naar 't boze tracht,' antwoordt Mephisto.

'Wat wil dit raadselachtige woord op 't end?'

'Ik ben de geest die steeds ontkent!' zegt Mephisto. 'En dat met recht: want alles wat ontstaat, is waard dat het ten gronde gaat.'

Wat is die Mephisto slecht, cynisch, grappig, wereldwijs, slim, de sulfaatgeworden intelligentie, de aartsintrigant die zijn slachtoffers met hels genoegen beloert, bij zowel de catechisatie als bij de poging tot zelfmoord.

Anderhalve eeuw na Goethes dood is hij gereïncarneerd in de figuur van de acteur-regisseur Gustaf Gründgens, de man die in het spelen van Mephisto gespecialiseerd was en tussen de bedrijven door op initiatief van Hermann Göring de verantwoordelijkheid overnam voor de toneelpraktijk in het Derde Rijk.

Klaus Mann, Thomas' ongelukkige zoon, was gefascineerd door de acteur met wie hij ooit lief en leed had gedeeld en hetzelfde radicaal-artistieke credo had aangehangen. Toen de nazi's in 1933 de macht hadden overgenomen en de familie Mann naar het buitenland was gevlucht, zag de oudste zoon van de familie met een mengsel van verbittering en verbazing hoe zijn voormalige vriend binnen de kortst mogelijke tijd doorstootte naar de hoogste voor hem bereikbare toppen. 'Hoe kan het!' schreef Klaus Mann later in zijn autobiografie. 'Ik heb met hem geleefd, gewerkt, gediscussieerd, geacteerd, gepimpeld en plannen gesmeed – en toen zat hij opeens aan één tafel met de monstrueuze Rijksmaarschalk! En nu pimpelde, acteerde en discussieerde hij met de moordenaars!'

Gründgens was gespecialiseerd in flamboyante schurken, historische intriganten en moordenaars-in-jacquet. De rol van Mephisto was hem dus op het lijf geschreven. Hij speelde hem ter gelegenheid van Goethes honderdste sterfdag als 'een griezelige, elegante grappenmaker, die tot het uiterste in staat is', een diabolische alleskunner, 'zelfs sterker dan God de Vader die hij met een zekere smadelijke hoffelijkheid behandelt.' Aldus Klaus Mann in de sleutelroman *Mephisto*, waarmee hij voor eens en voor altijd Gründgens' reputatie verwoestte.

Want waar was de kunstenaar gebleven die eens, lang voor de nationaal-socialistische machtsovername een eigen revolutionair theater wilde stichten? 'Maar waar zit je verstand?' riep Gründgens' literaire alter ego. 'Hoe wil je vandaag de dag nog carrière maken zonder list en veinzerij? Neem een voorbeeld aan mij!'

De componist Hanns Eisler was in de Duitse Democratische Republiek een ogenschijnlijk onaantastbare beroemdheid, die zijn bezwaren tegen de communistische conservatieven tamelijk elegant onder woorden bracht, want anders hadden zijn 'politieke vrienden' hem ongetwijfeld in het tuchthuis gestopt.

In de praktijk hadden zijn 'politieke vrienden' geen boodschap aan hem. Voor zijn delicate kamermuziek (het strijktrio Preludium en fuga op B.A.C.H. of de Veertien Manieren de Regen te Beschrijven), waarin niet zelden de stem van Schönberg naijlt, bestond weinig belangstelling. De DDR-Eisler was voornamelijk de man van de arbeiderskoren en volksliederen, soms achtenswaardige composities, even zo vaak veel geschreeuw en weinig wol.

Eigenlijk ben ik van mening dat de late Eisler, comfortabel op Duits-Democratische bodem opererend, niet zoveel meer van belang componeerde, net zoals zijn vriend Bertolt Brecht in die jaren creatief gezien goeddeels is uitgedoofd. De grote tragedie rond Eisler speelde zich af in het begin van de jaren vijftig, toen hij een poging deed om met *Johann Faustus* de eerste, echte, Duitse nationale opera te componeren. Ons staat het in 1952 gepubliceerde, door de componist zelf geschreven tekstboek ter beschikking, benevens de protocollen van de zittingen van de Mittwoch-Gesellschaft, een verzameling Oost-Duitse intellectuelen die er alles aan gelegen was te voorkomen dat Eisler zich aan het heilige, klassieke erfgoed (Goethes *Faust*) zou vergrijpen. Eislers Faust is een 'negatieve held' waaraan de communisten zo'n hekel hadden, een verrader, een renegaat die het vuur op de opstandige boeren laat openen.

Dat was tegen het zere been van de archetypische Duitse germanist, die het onverdraaglijk vond dat er aan het oerbeeld van 'zijn' *Faust* geknabbeld werd. En het was tegen het zere been van de DDR-autoriteiten, met hun neurotische neiging de klassieken te annexeren, om hen vervolgens zo authentiek en fantasieloos mogelijk onder het publiek te brengen. Of zoals een van Eislers critici zei: 'Wij huldigen als historisch-materialisten niet voor niets, dunkt mij, de opvatting dat een kunstwerk pas geslaagd kan worden genoemd als de historische feiten ontleend zijn aan de werkelijkheid en niet aan intuïtie of speculatie, gevoed door opvattingen die ons vreemd zijn.'

Het kunstwerk als geschiedenisboek, voorhinkend op liefst 1089 hooggeleerde en partijconforme voetnoten. Het intellectuele en culturele leven in de Duitse Democratische Republiek was in de praktijk de dood in de pot.

Het dieptepunt tijdens de zittingen van de Mittwoch-Gesellschaft was de steriele wijze waarop het Brecht beliefde zijn kompaan Eisler te verdedigen. Het hoogtepunt was het optreden van regisseur Walter Felsenstein, die schande sprak over het feit dat een achtenswaardig en geëngageerd kunstenaar als Eisler plotseling als een soort 'cultuurpolitieke misdadiger en landverrader' werd afgeschilderd en beloofde, als er ooit muziek bij het omstreden tekstboek werd gecomponeerd, de opera onmiddellijk op het repertoire te zullen nemen. Een tweede dieptepunt was het optreden van de schrijver Arnold Zweig, die voorstelde de problemen op te lossen door *Faust* tot *Knaust* te herdopen. Het dieptepunt van alle dieptepunten was de proeve van zelfkritiek, beleden door de lector van Aufbau-Verlag, de uitgeverij die het libretto van *Johann Faustus* onder het publiek had gebracht. 'Omdat ik verantwoordelijk ben voor de publicatie van dit werk, hebben wij hierover bij onze uitgeverij gediscussieerd, een discussie waarin ik heb verklaard dat ik mijn overijlde enthousiasme voor het manuscript betreur, een vergelijkbare ernstige fout als het feit dat wij een discussie als vandaag niet eerder hebben gevoerd, waardoor ik geloof – nee, niet alleen geloof, ik ben ervan overtuigd – dat wij onze vriend Eisler een zeer slechte dienst hebben bewezen.'

Gegeven was een libretto dat kwalitatief op de hoogte der klassieken staat, met een vruchtbare injectie van het impressionisme van de jaren twintig, de periode waarin Eisler artistiek tot wasdom kwam. Gegeven is verder de dorre wijze waarop de Oost-Duitse nomenklatoera dit manuscript naar de mestvaalt der arbeidersbeweging verwees. Restte een totaal ontmoedigde componist, die elke aandrift ontbeerde om zijn tekst op muziek te zetten, en er zelfs nauwelijks meer toe te bewegen was om achter de piano te gaan zitten. Hij week voor korte tijd uit naar Wenen en schreef vandaar uit een bittere brief aan het Centraal Comité van de alles-bestierende Socialistische Eenheidspartij. 'Ik accepteer vanzelfspre-kend kritiek, maar niet een vorm van kritiek die elke geestdrift smoort, het aanzien van de kunstenaar beschadigt en elke vorm van menselijk zelfbewustzijn ondergraaft. Na de aanval op mijn *Faust* merkte ik geen enkele zin meer te hebben nog iets te com-poneren. Zo belandde ik in een situatie van de diepste depressie, zoals ik het zelden heb meegemaakt.'

Dit bevestigt de theorie dat het niet onmogelijk is onder een to-talitair regime kunst te bedrijven, maar dat een zichzelf respec-terend kunstenaar er gegarandeerd ongelukkig wordt, om het even of zijn chef Hitler of Stalin heet. Het is geen toeval dat Eislers laat-ste compositie de liederencyclus *Sieben ernste Gesängen* was, een stuk voor zangstem en strijkorkest. De teksten waren zorgvuldig geselecteerd. Wat is een vorm van gedroomd geluk? 'Leven – zon-der bang te zijn.' Lied nummer drie, op een tekst van Leopardi, heet 'Vertwijfeling'. Hanns Eisler leek zelf het meest verwonderd te zijn over de diepe neerslachtigheid die hem, optimist uit aan-drift en overtuiging, had bevangen. 'Een lied als "Vertwijfeling" kan een componist in een socialistisch land natuurlijk niet schrijven. En uitgerekend ik, een ouwe communist, maak mij daaraan plot-seling schuldig. Maar misschien heeft het zin, zin voor diegenen die zich in betere tijden met mijn kunst zullen bezighouden.' Hij stierf drie weken later, niet wetend dat in die 'betere tijden' zijn composities goeddeels in ongerede zouden raken.

Het geschiedde in de maanovergoten nacht van 2 november 1970 en zelfs een veelzijdige geest als Johann Wolfgang von Goethe had het onmogelijk kunnen verzinnen. De Walpurgisnacht (*Faust II*) was er een kinderpartijtje bij.

De plaats van handeling was Weimar. Een auto met zeven inzittenden begaf zich naar de Fürstengruft, het siergraf van de lokale prominenten, waaronder Goethe en Schiller. Het was de eerste naar wie de belangstelling uitging. De crypte werd opengekrikt om te inspecteren of het gebeente er na zo'n honderdvijftig jaar nog een beetje netjes bijlag. De grafschenners lieten een handlamp over de restanten dwalen. Was dat even schrikken! Goethes lauwerkrans stond schuin op zijn ontvleesde kop en ook het karkas bevond zich duidelijk in een verregaande staat van verwaarlozing.

Het geheimzinnige zevental deponeerde kop en knekels in een doos en bracht het geheel naar een laboratorium. Het duurde al met al nog drie weken voordat de dichter naar zijn laatste rustplaats werd teruggebracht. Daar werd hij eerst als een soort Lego-constructie bij elkaar geknutseld. Toen dit karwei gedaan was, werd de crypte weer gesloten. Pas veel later kwam men tot de pijnlijke ontdekking dat men vergeten was de dode zijn doodshemd aan te trekken. Het kledingstuk zou zich, is de officiële lezing, op het ogenblik, aan nieuwsgierige ogen onttrokken, in het plaatselijke Schillermuseum bevinden. De Goethekenners weten beter. Dit doodshemd is allang in het bezit van de Goethemaniak Boudewijn Büch, kenner van het werk en eigenaar van de grootste verzameling Goethecuriosa ter wereld.

Goethe… und kein Ende.

De roman van dr Joseph Goebbels, Hitlers boekverbrander in buitengewone dienst, heet *Michael, ein deutsches Schicksal* en behandelt de wetenswaardigheden van een student die zéér tegen Fransen en intellectuelen is, om maar te zwijgen over zijn gevoelens jegens Franse intellectuelen. 'Duitsland vocht voor de arbeid. Frankrijk vocht voor het geld. De arbeid heeft verloren. Het geld heeft gewonnen,' verzucht Michael, duidelijk het alter ego van de kunstenaar. Zijn bleekneuzige medestudenten beziet hij met bezorgdheid: 'Het intellect is een gevaar voor de vorming van het menselijk karakter. Een kerel van iemand maken, dát is de taak van de universiteit.' Zelf voelt hij zich onweerstaanbaar tot de kazerne aangetrokken: 'Soldaat zijn! Op wacht staan! Je moet altijd soldaat zijn, soldaat in dienst van de revolutie van je volk!'

Op 27 januari 1931 werd Goebbels' debuut gerecenseerd in *Die Weltbühne*, het fameuze weekblad van Kurt Tucholsky en Carl von Ossietzky. Er werd gewaagd van een belangrijk boek, zij het niet in de eerste plaats op grond van de literaire kwaliteiten van het geschrevene. 'Het is de eerste niets aan de verbeelding overlatende manifestatie van wat de bruinhemden "de Duitse geest" en "de Duitse ziel" noemen,' constateerde de criticus. 'Het geval Goebbels kan uiterst simpel worden afgedaan als wij in een gezond land zouden leven. Dan zou men hoogstens in medische kringen belangstelling verwachten voor de gigantische platheden van deze grootheidswaanzinnige hystericus. Maar zoals de zaken thans liggen, is de schrijver – voormalig student te Heidelberg, thans rijkspropagandaleider van de NSDAP – een stuk politieke realiteit.'

Deze beschouwing voedde ongetwijfeld de haat die Goebbels koesterde jegens de mensen die de kolommen van *Die Weltbühne* vulden. Goebbels brak de staf over hen op een op oudejaarsavond 1932 te zijner huize belegd partijtje. 'Het komend voorjaar zijn wij aan de macht…' voorspelde hij. 'En dan zal ik die vervloekte intellectuelen, die Kerr, die Tucholsky, die von Ossietzky en die Mehring, hoogstpersoonlijk opknopen.'

Een deel van die voorspelling kwam vier weken later uit. Op 30 januari 1933 werd Hitler tot rijkskanselier benoemd. Even later knetterden en knisperden de eerste brandstapels, onder de vaderlandse klanken van de korpsen van SA en SS en onder de bezwerende formules van representanten van de nationaal-socialistische studentenbeweging:

'Tegen klassenstrijd en materialisme! Voor volksgemeenschap en idealistische levenshouding! Ik offer de vlammen de werken van Marx en Kautsky!'

'Tegen decadentie en moreel verval! Voor tucht en zede in gezin en staat! Ik offer de vlammen het werk van Heinrich Mann, Ernst Glaeser en Erich Kästner!'

'Tegen de zielsbesmettende overwaardering van het driftleven! Voor de adel van de menselijke ziel! Ik offer de vlammen het werk van Sigmund Freud!'

'Tegen onbeschaamdheid en aanmatiging! Voor achting en eerbied van de onsterfelijke Duitse volksgeest! Verslindt, vlammen, ook de werken van Tucholsky en von Ossietzky!'

Die Weltbühne was de voornaamste spreekbuis van de radicaal-democratische intelligentsia in de jaren van de Republiek van Weimar, in februari 1919 officieel in deze gemeente geconstitueerd, nadat eerst keizer Wilhelm II van zijn troon was gestoten. Helaas verzuimde de jonge republiek om eveneens de staalborstel te halen door de gelederen van haar doodsvijanden: de monarchistische generaals, de reactionaire rechterlijke macht en het antirepublikeinse ambtenarenkorps. Er rustte dus van den beginne af geen zegen op dit experiment met de parlementaire democratie.

Wel kenmerkte de Republiek van Weimar zich door een in de Duitse geschiedenis exemplarische culturele bloei. Die was in niet onbelangrijke mate te danken aan de joden onder de intellectuelen en kunstenaars. Zij dwaalden verrukt door de tovertuin van kunst, cultuur en wetenschap. Zij opereerden in de marge van de politiek. Zij waren onder de linkse intellectuelen ongetwijfeld in getal en inzet oververtegenwoordigd, met hun roerende streven naar het schone, het hogere en een betere wereld. Daarom werd, speciaal voor hen, door de generaals, rechters en ambtenaren, het begrip cultuurbolsjewieken geïntroduceerd.

Von Ossietzky: 'Als kapelmeester Klemperer zijn tempo anders neemt dan zijn collega Furtwängler, als een schilder in zijn avondrood een toets aanbrengt die afwijkt van hetgene men boven de horizon van Achter-Pommeren kan aanschouwen, als men pleit voor zoiets als geboorteregeling, als men een huis met een plat dak laat bouwen, geldt dit evenzeer als een uiting van salonbolsjewisme als een verfilmde registratie van de keizersnede. De acteur Chaplin is eveneens een cultuurbolsjewiek. En als de fysicus Einstein beweert dat het principe van de constante snelheid van het licht zich slechts daar manifesteert waar de zwaartekracht is uitgeschakeld, is ook dit een proeve van salonbolsjewisme, speciaal uitgedacht ter meerdere glorie van Stalin. Salonbolsjewisme proeft men in de democratische opvattingen van de gebroeders Mann, cultuurbolsjewisme beluistert men in de composities van Hindemith en Weill. Met andere woorden: het toegepaste predikaat valt even serieus te nemen als de maatschappij-omwentelende eis van de een of andere halve gare die wettelijk geregeld wil zien dat hij met zijn eigen grootmoeder kan trouwen.'

Hiermee is de sfeer van de Republiek van Weimar trefzeker gekarakteriseerd. Op het toneel bevond zich de intellectuele en culturele elite, die van Berlijn plotseling Europa's artistieke hoofdstad had gemaakt. In de coulissen loerde echter de permanente contrarevolutie.

De gebeurtenissen in de vijftien jaar die de Republiek van Weimar waren gegeven, werden in *Die Weltbühne* beschreven en becommentarieerd in een glanzend, eloquent proza zoals dat sindsdien niet meer op Duitse bodem is vervaardigd. Een slecht standpunt, ja, dat drong incidenteel zelfs tot de kolommen van het weekblad door. Maar een slechte formulering, nee, zoiets was ondenkbaar in dat kleine, onaanzienlijk ogende blaadje met zijn matrode omslag.

'Goed geschreven is goed doordacht,' placht Tucholsky te zeggen.

Het programma van het blad was kort samengevat: 1. Sociale gerechtigheid, 2. Vrede door internationale ontwapening, 3. Een militant antiklerikalisme, 4. Verzoening met de erfvijand van weleer, Frankrijk.

Het in 1919 getekende Verdrag van Versailles, dat onder meer bepaalde dat het Duitse leger tot honderdduizend man beperkt diende te blijven, werd in brede kring als een schande ervaren. *Die Weltbühne* vond het daarentegen een zegen.

'Duitsland is de enige bij de oorlog betrokken natie, die garen bij dit Verdrag heeft gesponnen,' constateerde von Ossietzky tien jaar later. 'Wij zijn weliswaar gebieden kwijtgeraakt, wij dienen aanzienlijke herstelbetalingen op te brengen en er staat nog steeds een stuk Rijnoever onder militaire bezetting. Maar het imperialisme is gebroken. Duitsland heeft geen overzeese gebiedsdelen meer te verdedigen. Als straks in Marokko of China het geweervuur losbrandt, kunnen wij zonder vrees ons hoofd ter ruste leggen. Onze overwinnaars, wier rijksbegroting door de bewapening uit balans is gebracht, zullen weinig genoegen aan hun veroveringen beleven. Duitsland daarentegen is weer een staat met aanzien en heeft zijn plaats weer onder 's werelds meest vooraanstaande naties ingenomen, met alle voordelen en zonder de nadelen van dien.'

Het innemen van een dergelijk standpunt vergde nogal wat burgerlijke moed, al was het alleen al om het feit dat de Republiek van Weimar was vergeven van de veemgerichten, paramilitaire moordcommando's, die van het liquideren van 'landverraders' hun specialiteit hadden gemaakt. Eenzelfde durf was vereist voor het publiceren van de artikelenserie waarin het bloedig handwerk van deze veemgerichten in de openbaarheid werd gebracht. Het geschrevene veroorzaakte grote commotie, zij het niet in de paleizen van justitie, waar de rechters veelal veel begrip wisten op te brengen voor de activiteiten van hun amateur-collega's.

Enig rekenwerk leert hoe gelijk Kurt Tucholsky had toen hij jaar in jaar uit de Duitse rechters attaqueerde als corrupte, partijdige, arbeidervijandelijke handlangers van de zwartste reactie. De 314 politieke moorden die in een periode van acht jaar door rechts-extremisten zijn gepleegd, werden in het totaal gewraakt met 31 jaar plus drie maanden cel, benevens één levenslange vestingsstraf. De dertien politieke moorden die in diezelfde periode werden gepleegd door radicale elementen ter linkerzijde, leidden tot acht doodvonnissen en 176 jaar-plus-10-maanden detentie. De communisten die in 1919 in de vrijstaat Beieren de radenrepubliek proclameerden, kregen in totaal 519 jaar-plus-9-maanden. De officieren en manschappen die een jaar later, onder aanvoering van Generallandwirtschaftsdirektor Wolfgang Kapp, een poging tot staatsgreep deden, gingen daarentegen allen vrijuit.

En toen *Die Weltbühne* in 1929 onthulde dat het ministerie van Rijksweer, regelrecht tegen de bepalingen van het Verdrag van Versailles in, een illegale luchtmacht op de been aan het brengen was, waren het niet de betrokken officieren die voor de rechter werden gedaagd, doch Carl van Ossietzky, de man onder wiens verantwoordelijkheid het artikel was gepubliceerd.

De publicist becommentarieerde het vonnis met soevereine gelatenheid: 'Anderhalf jaar vrijheidsstraf? Dat is niet zoiets bijzonders, want zoveel stelt de vrijheid in Duitsland niet voor. De grens tussen gedetineerden en niet-gedetineerden wordt steeds vager. Iedere schrijver die in deze bewogen tijd naar zijn eer en geweten handelt, kent de risico's van zijn beroep.'

De liquidator van de Republiek van Weimar heette Adolf Hitler. De doodgravers van diezelfde republiek zijn de lieden die Hitler in het zadel hebben getild. Dat was Heinrich Brüning, rijkskanselier van 1930 tot 1932, de man die in zijn gedenkschriften schaamteloos heeft toegegeven dat het van meet af aan zijn bedoeling is geweest om de parlementaire democratie blijvend te doen vervangen door een autoritaire klassenstaat naar wilhelministisch model. Het werd vervolgens in de praktijk gebracht door Franz von Papen, trait-d'union tussen Brüning en Hitler. Von Papen zette de sociaal-democratische regering van Pruisen af omdat deze een 'vooruitstrevende beweging' als de NSDAP op dezelfde negatieve wijze tegemoet trad als een partij als de KPD, die 'de vernietiging van onze cultuur' beoogde. Het proces van desintegratie van de parlementaire democratie geschiedde met de onverholen instemming van de geestelijke middenstand in den lande, al jarenlang militant in de weer voor *Volkstum* en *Kulturerbe*, totdat het volk al zijn rechten werd ontnomen en de culturele erfenis op de brandstapels belandde.

De Republiek van Weimar is ten gronde gegaan aan het feit dat er in die republiek, buiten de redactie van *Die Weltbühne*, vrijwel geen republikein te vinden was.

'De Republiek van Weimar,' zegt Istvan Deak in *Weimar Germany's Left Wing Intellectuals* (1968), 'is vernietigd door de Duitse bourgeoisie in samenwerking met de burgerlijke politieke partijen, die vanaf 1929 continu om een autoritaire oplossing hebben geroepen. De medewerkers van *Die Weltbühne* waren ongetwijfeld feilbaar, ingebeeld, hedonistisch vaak, maar zij stelden zich nooit destructief op. Integendeel, zij waren idealisten pur sang, zij droomden van een socialistische samenleving die door een democratisch instrumentarium werd bestuurd. Dit was en is nog steeds overal een intellectuele utopie.'

Tucholsky legde uit waarom men zich ten burele van *Die Weltbühne* altijd zo negatief placht op te stellen. 'Onze haat is gecamoufleerde liefde,' zei hij. 'Wij moeten in eigen huis schoon schip maken, opdat wij in de wereld weer worden gerespecteerd. Bevuilen wij ons eigen nest? Een augiasstal kán men niet bevuilen. Zijn wij negatief? Bloed en ellende en verwondingen en een vertrapte mensheid – laat het althans niet allemaal voor niets zijn geweest.'

En von Ossietzky zei op zijn beurt over het vermeende negativisme van zijn weekblad: 'Ik wil er geen enkel misverstand over laten bestaan. Wij willen niet dat het vertrouwen dat de mensen in hun partijen hebben wordt ondergraven. Wij willen eenvoudigweg dat die partijen beter functioneren, dat zij op de juiste wijze gebruik maken van de talenten binnen hun gelederen, dat zij bepaalde ontwikkelingen niet reeds in de kiem smoren en dat zij in de regering waar maken wat zij in de oppositiebanken hebben beloofd.'

Nee, *Die Weltbühne* had inderdaad geen alternatief voor de regering-Ebert, de regering-Müller of de regering-Brüning. Wel had zij een alternatief programma. Haar alternatief voor corruptie was géén corruptie, haar alternatief voor leugenpraat was géén leugenpraat, haar alternatief voor de dictatuur was de democratie en haar alternatief voor oorlog was vrede.

Zij oogden als scherpslijpers, maar waren in werkelijkheid even kritisch als redelijk, liberaal en rechtvaardig. Tucholsky schreef de vreselijkste versjes ('Je schokschoudert boven de Hennessy/ in naam van de Duitse sociaal-democratie') over de omhooggeklauterde 'bonzen' in partij en vakbond. Maar toen een dezer 'bonzen', de Pruisische sociaal-democratische minister van Binnenlandse Zaken tot aftreden werd gedwongen in verband met een buitenechtelijke relatie, was het Tucholsky die de ongelukkige bewindsman in bescherming nam: 'Ik sta met ziel en zaligheid achter deze sociaal-democratische bewindsman, wiens politieke opvattingen wij op deze plaats – speciaal de laatste tijd – hebben bekritiseerd. Maar zijn gedwongen aftreden is een schandaal, een schandaal waarvoor het mufste Duitse spitsburgerdom verantwoordelijk moet worden gesteld.'

En als de sociaal-democratische partijorganen zich op hun beurt allerhande ranzige scherts veroorloofden over de homoseksuele geaardheid van Ernst Röhm, Hitlers SA-chef, nam Tucholsky de betrokkene (althans op dit punt) in bescherming: 'En overigens ben ik van mening dat wij aan het geslachtsleven van Röhm evenmin een boodschap hebben als aan het patriottisme van Hitler.'

In de ogen van de behoudende krachten in de Republiek van Weimar waren de medewerkers van *Die Weltbühne* natuurlijk pure communisten en als zodanig de natuurlijke handlangers van de godloze Russische barbaren, die immers óók al een vorst de kroon van het hoofd hadden gestoten. In werkelijkheid bezag *Die Weltbühne* de wederwaardigheden van de jonge Sovjetunie met de gepaste genuanceerdheid. Toen de eerste betovering van de Oktoberrevolutie was uitgewerkt, toen de echo's van Majakovski's verzen waren verklonken en de pantserkruiser Potjomkin weer rustig aan de steiger lag te dobberen, was het de meeste linkse intellectuelen duidelijk dat de Sovjetunie niet het socialistische alternatief was waarop men had gehoopt. 'De klassenstrijd is een noodzakelijkheid,' schreef Tucholsky. 'Maar het paradijs op aarde – dat zal zij ons niet brengen.' Hij verweet de Russen: 'U hebt van het marxisme een dogmatische religie gemaakt. Daaraan doen wij niet mee.' Hij bedacht een imaginaire KPD-functionaris die hem toevoegde: 'Jammer dat u geen lid van de partij bent, dan konden wij u er nu uit gooien.'

Von Ossietzky liet op zijn beurt weten hoe hij dacht over de wijze waarop in Moskou met andersdenkenden werd omgesprongen: 'Het ontbreekt de oppositie aan alle middelen om de macht te grijpen, haar invloed is beperkt, haar aanhang is getalsmatig bescheiden, zij vraagt niet meer dan het recht om kritiek te mogen leveren, zij vraagt niet meer dan de vrijheid van meningsuiting.'

'Maar was het rechtvaardig om Rusland met de "maatstaven van het Westen" te meten?' vroeg iemand.

'Natuurlijk heeft Rusland, zoals elke andere natie, zijn eigenaardigheden en onbegrijpelijkheden,' antwoordde von Ossietzky. 'Maar niemand kan mij wijsmaken dat Rusland een eigen kosmos heeft, met eigen zonnen en sterren, bewoond door andere wezens, met een eigen soort vreugde en verdriet.'

De 'schande van Versailles' had de Duitse reactionairen xenofober gemaakt dan ooit. Men dronk thee uit kopjes waarop in vergulde karakters de spreuk 'Gott strafe England!' was gepenseeld. Aan de pui van menig café hing het bord 'Fransen en Belgen worden niet bediend'. Het was met name Frankrijk dat werd gezien als de bron van alle kwaad, met zijn Parijs vol hoeren, joden, revolutionairen en slechts in bananenschillen geklede negerdanseressen. Parijs, de hoofdstad van alle vijanden van het blanke ras, de stad waar de revolutie van 1789 was uitgebroken, de stad die zo'n belangrijke rol had gespeeld bij de burgerlijke revoluties van 1830 en 1848.

De linkse intellectuelen in Duitsland keken daarentegen met een haast dweperig aandoende devotie naar Frankrijk op. In eigen land, waar geest en macht elkaar per traditie leken uit te sluiten, waren zij altijd buitenstaanders geweest. In Frankrijk was de publieke en politieke moraal reeds vanaf de Verlichting doordrenkt met de denkbeelden van mannen als Rousseau, Voltaire en Diderot. Ook Tucholsky, die in 1924 naar Frankrijk was uitgeweken, en vandaar uit de gebeurtenissen in zijn ongelukkige vaderland becommentarieerde, was zeer over zijn gastheren te spreken. 'Zelfs de reactionairen hebben hier esprit,' zei hij. In werkelijkheid zit er in dat Franse gekoketteer met beschaving en intellect veel schone schijn. 'Het Franse intellectualisme graaft vaak niet dieper dan de beroemde Weense charme,' zegt Walter Laqueur in *Weimar – A cultural history* (1974).

En zoals de Weense charme geen beletsel was voor intensieve deelname aan de oplossing van het joodse vraagstuk, was het Franse esprit plotseling geen factor meer toen tal van vervolgde Duitse intellectuelen in 1933 om asiel in Frankrijk verzochten. Deze werden er met dezelfde botte reserve ontvangen als elders in de wereld en kregen in de interneringskampen uitgebreid de gelegenheid om hun opvattingen over de Franse spiritualiteit te herzien.

Heinrich Mann, die wat meer verstand had van politiek dan zijn letterlievende broer, zag al in een vroeg stadium wat de nazi's zo in de joden en intellectuelen (laat staan in de joodse intellectuelen) haatten. Het was, zei hij, het principe verstand.

Het begrip intellectueel is in de laatste jaren voor de eeuwwisseling voor het eerst in negatieve zin gelanceerd in de debatten rond de Franse kapitein Dreyfus. De strijd werd uiteindelijk beslecht in het voordeel van 'les intellectuels' Zola en Clemenceau. Het principe verstand triomfeerde ten koste van de monarchisten en fascisten. De Duitse linksen volgden dit proces met afgunst en bewondering. In hun land, wisten zij uit ervaring, was 'intellectueel' een puur negatief begrip. De intellectueel, zo analyseerde de biologie de representanten van de vijfde stand, is koud, want hij is bloedeloos, dus is hij ziek, want hij is ontworteld door het feit dat hij vegeteert op het asfalt van de grote stad.

Vandaar het predikaat asfaltliteratoren, zoals men dit na de machtswisseling van 1918 regelmatig terug vond in de nationalistische en nationaal-socialistische pers. Die machtswisseling – zowel in het Wilhelmische Duitsland als in de Donau-moarchie – is in sommige opzichten helemaal geen zegen voor de linkste intellectuelen en kunstenaars geweest. Vóór de oorlog konden zij zich betrekkelijk ongedwongen bewegen in het getto van kunst en wetenschap. Zij legden de fundamenten van het Bauhaus, stichtten de Sezession, vonden de dodecafonie uit en analyseerden zowel het Ich als het Über-Ich. De oorlog veranderde hen in militante pacifisten. Zij begonnen zich (vooral theoretisch) met de politiek te bemoeien, zonder te zien dat de politiek helemaal niet gediend was van hun moraliserend geroep om een betere wereld. Zij debatteerden met vuur over abortus, moderne kunst, de Russische revolutie, de afschaffing van de doodstraf, de legalisering van de homoseksualiteit en de morele implicaties van het buitenechtelijk geslachtelijk samenslapen. Zij beschouwden de arbeidersklasse als hun natuurlijke bondgenoot, zonder zich te realiseren dat er op de steiger en werkvloer bijzonder weinig belangstelling was voor bovengenoemde thema's.

Tucholsky was een der weinigen die de positie van de linkse intellectuelen – en daarmee van haar voornaamste spreekbuis – scherp doorzagen. 'Die Weltbühne,' zei hij, 'pretendeerde niet de "aanvoerder van de arbeidersklasse" te zijn. Het blad was daarentegen het orgaan van de linkse, vooruitstrevende burgerij, niets meer, niets minder. Het zou een verdomde leugen zijn als wij onze witte boord zouden verloochenen om de "proletariër" uit te gaan hangen. Wij doen ons niet anders voor dan we zijn. Wij zitten tussen twee stoelen en wij geven dit toe.'

De positie van de joden onder de linkse intellectuelen – joden als Tucholsky – was nóg dualistischer. Officieel waren zij na de val van Wilhelm ii eindelijk gelijkwaardige, gelijkberechtigde staatsburgers geworden. In de praktijk was de academische, militaire en justitiële wereld nog steeds voor hen vergrendeld. Dit gold ook voor de politiek: die zogeheten jodenrepubliek van Weimar is door negentien kabinetten geregeerd. Daarin zaten te zamen 387 ministers. Slechts vijf van hen waren joden. De werkelijkheid was dat de joden in schijn waren geassimileerd en in werkelijkheid andermaal moesten uitwijken naar de traditionele vrijplaatsen van de maatschappij: de handel, de toonkunst, de dag- en weekbladpers, het toneel, de literatuur en de essayistiek. 'Er moet worden vastgesteld dat in het Duitsland van het begin van de twintigste eeuw, waarin de joden nog geen procent van de bevolking vormden, dezelfde joden de dragers waren van een groot deel van de Duitse cultuur', aldus Istvan Deak.

Niemand die hen dit in dank afnam. Integendeel, hoe onbevangener zij gebruik maakten van de gelegenheid om te bewijzen dat zij niet minderwaardig waren, des te virulenter werden de antisemitische uitvallen. Ook in de Republiek van Weimar bleven zij wat zij altijd waren geweest: de doorn in het vlees, rustverstoorders, existentiële buitenstaanders, niet geïntegreerd, nooit te integreren en ten dode gedoemd.

De nazi's hadden voor de linkse intellectuelen – voor zowel de joden als de niet-joden – een heel arsenaal aan kwalificaties aange-

legd. Zij noemden hen respectievelijk anarchistisch, arrogant, be-
tweterig, blasé, bolsjewistisch, bolsjewistisch-joods, brildragers,
decadent, elitair, gedegenereerd, hersenverweekt, hoogmoedig, in-
dividualistisch, ongedisciplineerd, onduits, ontaard, ontworteld,
rassenvreemd, zedeloos en zielloos-intellectueel. Goebbels' blad
Der Angriff voorspelde donkere tijden voor 'chocoladevretende jo-
denwijven, met en zonder hoornen bril'. De *Deutsche Drogistenzei-
tung* mengde zich eveneens in de discussie: 'Hinweg mit diesem
Wort, dem bösen/ mit seinem jüdisch grellen Schrein!/ Wie kann
ein Mann von deutschen Wesen/ ein Intellektueller sein!'
    Dat kon dus niet goed gaan.

Op 21 februari 1933 verschijnt de aflevering van *Die Weltbühne* die,
naar spoedig zou blijken, ook de laatste van dit blad zou zijn. Tucholsky schrijft allang niet meer: hij bevindt zich, verbitterd en ver-
eenzaamd, in Zweedse ballingschap. Von Ossietzky kan allang niet
meer schrijven wat hij wil: de slagschaduwen van de nazi's reiken
reeds tot zijn bureau. Dus schrijft hij niet over de nazi's, maar over
hun culturele idool, de vijftig jaar eerder overleden toondichter
Richard Wagner. Hij analyseert de Wagnercultus als onderdeel van
de kleinburgerlijke renaissance, gedomineerd door wierook en
erotiek, ideologisch geschraagd door de rassentheorieën van Gobi-
neau en Wagners schoonzoon Houston Stewart Chamberlain. Hij
drijft de spot met de Tristans met hun bierbuiken en dubbelkin-
nen en de Isoldes met hun wapperende boezems en wiebelkonten.
Maar Wagners muziek, waarschuwt von Ossietzky, is iets waarbij
een denkend mens al snel het lachen vergaat. Want die is een politiek gegeven: 'Zij infecteert de werkelijkheid, zij dringt door duizenden onzichtbare kanalen. Wilhelm II haalt zijn Lohengrin-helm
uit de theatergarderobe en verandert de wereld in een slechte opera
– Hojotoho! Hojotoho! Heiaha! Heiaha! Hojotoho! Heiaja!'

Ook nu, vijftien jaar na de wereldoorlog, voorspelt von Ossietzky, zijn Wagners toverformules geschikt voor het gebruik op de slagvelden van Europa: 'Richard Wagners invloed is ongebroken, hij blijft een klankgeworden demon, opgeroepen voor een doel dat niets meer met kunst te maken heeft, een opiaat ter verneveling van de geest. Weet wat het streven is: Duitsland moet ten tweede male het toneel van een Wagneropera worden – Heiajaheia! Wallalaleia! Heiajahei!'

Het was zijn laatste artikel. Even later begaven de knokploegen van de SA zich naar de Kantstrasse 152 te Berlijn-Charlottenburg, het redactieadres van *Die Weltbühne* en sloegen daar het interieur kort en klein. Von Ossietzky was zelf even eerder, in de nacht van de Rijksdagbrand, gearresteerd en naar een concentratiekamp vervoerd.

Tucholsky bleef voorlopig buiten schot. In Zweedse ballingschap las hij in *de Deutsche Reichsanzeiger* dat hem – evenals de meeste medewerkers van zijn blad – het staatsburgerschap was ontnomen.

Carl von Ossietzky verhuisde begin februari 1935 naar het concentratiekamp Papenburg-Esterwegen. Een functionaris van het Internationale Rode Kruis is een der laatsten die hem levend hebben gezien:

'Na tien minuten kwamen twee ss'ers die een kleine man, die nauwelijks kon lopen, met zich meesleepten. Een sidderend, doodsbleek schepsel, een wezen dat gevoelloos leek te zijn, met een gezwollen oog, de tanden zo te zien uit de mond geslagen, een gebroken, slecht genezen been achter zich aan voerend. "Meneer von Ossietzky," zei ik, "ik breng u de groeten over van uw vrienden, ik ben een vertegenwoordiger van het Internationale Rode Kruis, ik ben hier om u, voor zover mogelijk, te helpen." Niets. Voor mij stond, nauwelijks nog levend, een mens die was beland aan de grens van wat iemand dragen kan. Ik trad naderbij. Toen vulde het ene nog functionerende oog zich met tranen. Lispelend, snikkend zei hij: "Dank u. Zegt u maar tegen mijn vrienden dat het met me gedaan is. Het is spoedig voorbij, het is spoedig uit, dat is goed." Toen begon hij weer te beven. Von Ossietzky maakte een beweging alsof hij de militaire houding wilde aannemen. Toen verdween hij weer, het ene been achter zich aanslepend, moeizaam, schrede voor schrede, in de richting van zijn barak.'

Begin mei 1938 meldden de Duitse kranten dat 'de bekende landverrader' was overleden.

Kurt Tucholsky woonde, na zijn vijf jaren in Frankrijk, sinds 1929 in Hindås (bij Göteborg), zonder dat ook maar een van zijn vrienden dit wist. Het was uit – ongetwijfeld gerechtvaardigde – angst dat de nazi's achter zijn adres zouden komen en hem alsnog te pakken zouden nemen. Zijn brieven waren overwegend zeer somber van toon. Met verbijstering vernam hij dat hij – die zichzelf als politiek failliet beschouwde – in het vaderland nog steeds gold als het symbool van alles wat verdorven en landverraderlijk was: 'Ik wordt werkelijk langzamerhand grootheidswaanzinnig als ik weer eens lees hoe ik Duitsland ten gronde heb gericht. Maar wat is in werkelijkheid nu al twintig jaar lang het voornaamste trauma waaronder ik gebukt ga? Dat is het feit dat ik er niet in ben geslaagd om ook maar één politieagent van zijn post te doen ontheffen.'

Zeven zware operaties aan het wiggebeen in een periode van achttien maanden droegen het hunne tot zijn depressies bij: 'Ik ga naar de operatietafel, zoals een ander naar de kapper gaat.'

Een artikel kreeg hij niet meer uit de pen, zelfs niet een artikel over zijn kameraad Ossi, wiens lijdensweg hij met een bloedend hart volgde. 'Ik ben het zat,' schreef hij aan zijn broer. 'Zoals je wel zult hebben gemerkt door mijn permanente zwijgen over bepaalde brandende actualiteiten. Nee, ik zal niet naar de vijand overlopen, ik zal niet katholiek worden, noch ben ik van plan me bij Goebbels te melden. Maar ik ben het zat.'

Op 20 december 1935 werd hij overgebracht naar het Sahlgrenska Sjukhuset van Göteborg. Voor een medische ingreep was het te laat. 'Intoxicatio acc. (Självmord)' noteerde de behandelend arts op het overlijdenscertificaat.

LOTTE, IK WIL STERVEN!

Het heeft de reputatie een der beroemdste boeken van zijn tijd te zijn, hetgeen meer zegt over de betreffende tijd dan over de betreffende roman.

Wees voorzichtig! Na lezing moet de complete vloerbedekking worden ontzilt, een gevolg van het feit dat tweehonderd pagina's lang een constante tranenvloed de huiskamer is binnengestroomd.

Het zijn de tranen van de jonge Werther, die zich even eerder, op de voorlaatste bladzijde van zijn lijdensgeschiedenis, uit liefdesverdriet – 'Lotte! Lotte, vaarwel, vaarwel!' – een kogel door zijn kop heeft geschoten.

Het probleem van de jonge Werther is zo oud als de wereld: de jonge Lotte wil niets van hem weten. Zij is namelijk verloofd met de jonge Albert, een brave ambtenaar die zij van harte genegen is, niet in de eerste plaats omdat zij haar stervende moeder heeft bezworen met hem te zullen trouwen. Vanaf de zijlijn kijkt Werther toe. 'Zij liepen het pad op, ik bleef staan, keek hen na in het maanlicht en huilde het uit.' Drie maanden later treden Lotte en Albert in het huwelijk. 'Mijn blik viel op haar trouwring en de tranen liepen mij over de wangen.' Hij verliest, door zijn affectieve gevoelens verteerd, alle zelfbeheersing en overdekt haar lippen met woeste kussen. 'Werther!' roept Lotte ontzet en ze zoekt beschutting in een zijvertrek. Dan beseft hij dat hem slechts één oplossing rest. 'Ik viel ontredderd op mijn knieën. O, God, gun me een laatste soelaas van bittere tranen!'

Ondertussen heeft Werther zijn beminde vele bladzijden lang geterroriseerd met zijn geklaag, gesmeek, gejammer, gezeur en gelamenteer, desnoods in aanwezigheid van haar echtgenoot. 'Werther,' zegt de man, die met een engelengeduld is gezegd, 'u ziet alles zo geëxalteerd.' Het vermag de jongeman niet te kalmeren. Heeft iemand, inclusief Jezus Christus, ooit zo geleden als ik, vraagt Werther zich af. 'Mijn God, mijn God, waarom hebt Ge mij verlaten?' Alvorens zich de hersenen uit het hoofd te schieten stuurt hij Lotte een briefje opdat zij voor de rest van haar leven onder een martelend schuldgevoel gebukt moge gaan. 'Lotte, ik wil sterven,' kondigt Werther aan. 'Als je dit leest, lieve, beste, dekt het koele graf reeds het verstarde overschot van de rusteloze, de ongelukkige, die voor de laatste ogenblikken van zijn leven geen groter zoetheid zou weten dan met jou te praten. Deze nacht is beslissend geweest en heeft mij in mijn besluit gesterkt: Ik wil sterven.'

Het is de taal van een emotioneel chanteur, een stalker, jengelend om en hengelend naar ongewenste intimiteiten met een vrouw die, in haar onervarenheid, ook niet weet wat zij aanmoet met dat bombardement van genegenheidsbetuigingen. Hele generaties Wertherdeskundigen hebben zich verbaasd over het feit dat het uitgerekend Lotte was die ervoor zorgde dat de labiele knaap die fatale pistolen in handen kreeg. Mij verbaast het niet. Enerzijds was Lotte gevleid door Werthers idolatrie. Toen deze echter alle redelijke grenzen dreigde te overschrijden en Werther zelfs zijn handen niet meer thuis kon houden, restte – jammer, tragisch, maar helaas! – slechts één manier om hem met goed fatsoen kwijt te raken.

Ondanks alles was *Die Leiden des jungen Werthers* (1774), de roman die de fundamenten zou leggen voor het artistiek en intellectueel imperium van Johann Wolfgang von Goethe, een grensverleggend boek. Fatale liefde en rokende pistolen, het was op het breukvlak van de achttiende en negentiende eeuw vloeken in de kerk, het was ontolereerbaar in een stokstijve, zorgvuldig naar rang en stand ingedeelde maatschappij, waarin elke vorm van afwijkend gedrag als een doodzonde gold. Terwijl Werthers tijd- en leeftijdgenoten in Frankrijk de bestorming van de Bastille begonnen voor te bereiden, bewandelde men in het bedaarde Duitsland een literaire omweg in de vorm van de Sturm und Drang, de voorzichtige protestbeweging tegen de geritualiseerde conventies van een burgerlijke cultuur. Opeens waarde, in de persoon van Werther, een individu door de literatuur, ook al beleden de wertherianen hun individualisme op een wijze die letterlijk tenhemelschreiend was, gesitueerd op de maanovergoten, decoratief bemoste grafsteen van een dierbare overledene.

Werther was dit splinternieuw vertoon van idealisme voorgegaan. Zijn zelfmoord, zorgvuldig voorbereid en met redenen omkleed, leidde zelfs tot een soort *Wertherfieber*, die spoedig van Duitsland naar de rest van Europa oversloeg. Hele volksstammen liefdeshongerige jongelieden grepen eveneens naar het pistool, en als dat toevallig even niet voorhanden was hing men zich op of verdronk men zich in de bosvijver, zo beweerden bladen als *Vaderlandsche Letteroefeningen, De Menschenvriend* en *De Vrolyke Zedemeester*. 'Welk een verbaazend aantal van rampzaligen hebben niet hunne wreede handen met hun eigen bloed geverfd sedert Goethe het mensdom met het Lijden van den jongen Werther beschonken heeft!'

Het is een verhaal dat men tot op heden in de Goetheliteratuur terug kan vinden, zowel hij een geachte Goethedeskundige als Richard Friedenthal als bij bijvoorbeeld kenners en liefhebbers als de schrijvers Louis Ferron en Gerrit Komrij. Het is niettemin een mythe. Zeker, Werther is uitgebreid berijmd, nagedicht, zijn beeltenis is in menige tafelpo gebrand, de epigonen en aanhangers besprenkelden elkaar met Eau de Werther en er was menige neo-Werther gestoken in een blauwe rok, een geel vest, bruine laarzen, een gele pantalon, het geheel bekroond door een ronde vilten hoed. Die besmettelijke golf van suïcide heeft evenwel slechts plaatsgevonden in het stoffige brein der beroepsmoralisten, die in het gedrag van de verliefde jongeling de bron van al 's werelds kwaad zagen en aan hun vervloekingen de meest boude onheilsprofetieën hebben vastgeknoopt.

Zo kreeg Goethe drie jaar na het verschijnen van de roman bezoek van lord Bristol, bisschop van Derry. Die stak tegen de schrijver een geharnaste Wertherpreek af, waarbij de gastheer opnieuw de vermeende zelfmoordepidemie in de schoenen werd geschoven. Het was 'een immoreel boek' dat niet streng genoeg kon worden veroordeeld. Goethe kon dit niet op zich laten zitten. 'Ha!' riep de dichtervorst in spe. 'Als u al op deze toon tegen die arme Werther spreekt, welke toon slaat u dan wel aan tegen de groten dezer aarde die met één pennenstreek honderdduizend mensen tot het slagveld veroordelen, waarbij alle betrokkenen tot moord, brandstichting en plundering worden geprovoceerd? Onderwijl dankt u God voor deze gruweldaden en zingt er zelfs een *Te Deum* bij! En wat doet u nu? U plaatst een schrijver, inclusief zijn werk, op de zwarte lijst, enkel en alleen omdat zijn boek door enkele labiele persoonlijkheden verkeerd is geïnterpreteerd, een feit waaruit deze domkoppen en deugnieten de consequentie hebben getrokken door het weinige licht dat in hun duisternis heerst voortijdig uit te blazen. Ik dacht dat ik de mensheid daarmee een goede dienst had bewezen, zodat ik eigenlijk uw lof verdien in plaats van uw berispingen!'

Het is een fraai en welsprekend voorbeeld van contemporaine kritiek op de klerikale dubbelhartigheid door de eeuwen heen, en bovendien moeten wij uit Goethes woorden de conclusie trekken dat ook hij in het woeden van zo'n zelfmoordepidemie heeft geloofd.

Goethe maakte er tegen J.P. Eckermann, zijn huispapegaai, geen geheim van: 'Ik heb de pelikaan met mijn eigen hartenbloed gevoederd.' Daarmee bedoelde hij dat de belevenissen van Werther zijn eigen belevenissen zijn geweest, met dien verstande dat Charlotte S. in werkelijkheid Charlotte Buff heeft geheten, wier aanbidder, na door haar te zijn afgewezen, uiteindelijk véél te verstandig was zich harentwege het leven te benemen. Goethe gaf er de voorkeur aan zijn emoties tot literatuur te veredelen en, over de rug van de arme Werther heen, wereldberoemd te worden. Voelde hij, en voelden al die andere ingezetenen van een volkomen masculiene maatschappij in feite niet een soort minachting voor zo'n doetje als Werther, met zijn 'al te grote sensibiliteit' (Werther over Werther), een sensibiliteit die van oudsher het prerogatief van het kantklossend deel der natie was geweest? Had Goethe die echte of vermeende zelfmoordenaars tegenover de bisschop van Derry geen 'domkoppen en deugnieten' genoemd? Dit harde oordeel vertoont een opvallende parallel met dat van de anonieme officier die, met de rondborstigheid van zijn kaste, zei: 'Een vent die zichzelf vanwege een meisje om het leven brengt, enkel en alleen omdat zij niets van hem wil weten, is een dwaas en er is niets aan gelegen of er een dwaas meer of minder op de wereld rondloopt.'

Het waren mannelijke woorden, die in Duitsland vóór het optreden van de jonge Werther min of meer de communis opinio representeerden. Waarna de Duitsers, toch al tot een zekere ongebreideldheid geneigd, in een radicaal andere richting dreigden door te schieten. Madame Germaine de Staël, die het land van 1803 tot 1808 bereisde, was getuige van dit proces. 'Door Werther waren overdreven gevoelens zozeer in zwang gekomen dat bijna niemand zich meer kil of gereserveerd durfde te betonen, zelfs niet als zijn aard van nature zo was,' schreef zij. 'Vandaar die verplichte geestdrift voor de maan, de bossen, het platteland en de eenzaamheid, vandaar die zenuwziekten, dat gekunstelde stemgeluid, die smachtende blikken, kortom, die hele poespas aan sentimentele gevoeligheden die door sterke en oprechte geesten worden afgewezen.'

Ook in Nederland. Enerzijds is er sprake van menige jongejuffrouw die bij het lezen van de roman ostentatief een appelflauwte krijgt. Anderzijds is het boek ook hier een regelrechte bedreiging van de openbare orde, tot dusverre gekenmerkt door het rookgekringel uit de gouwenaar en de weldadige traagheid van de trekschuit tussen Haarlem en Leiden. De geest van Werther, schreef J. Prinsen, 'stond absoluut buiten het beperkte brein en het slappe gevoel van den bloemzoeten Hollander dier dagen', die hoogstens uit zijn lethargische dommel ontwaakte door 'den knal van heusche pistolen'.

Ook te onzent werd Werther van alle kanten onder vuur genomen.

Lezen de kinderen wel de juiste boeken? vroeg A. aan zijn vaderlijke vriend B. Is het niet erg onverstandig geweest hun een boek als *Het lijden van de jonge Werther* te recommanderen? Want: 'Ik heb gemerkt, dat hunne harten zeer gevoelig zijn. Laatst met uw Dochter in de Maaneschijn kuijerende zuchtte zij even, alsof zij Charlotte was, die Werther verloren hadt, en sprak mij geduurig, dat haar bestaan als opgelost wierd in de schoonheden der natuur, terwijl zij gestadig het oog gevestigd hield op een strik, die ik geloof, dat de heer Mirandus, haar op een middag present gedaan hadt. Ik ging toen eens doorpraaten, met uw Dochter over dat opgeloste wezen, en ik vond niets anders, mijn Vriend, dan eenige klanken van ô, ach, gevoel, tederheid, zagte bedwelmende gewaarwording, enz.'

De spreker vervolgde zijn analyse: 'Beide, uw dochter en zoon, zijn ze juist in de Jaaren dat de natuurlijke liefdesdrift de grootste verwarring in het brein en hart der Menschen kan aanrechten. Sofia meent, dat ieder Jongeling, die haar aanziet, of haar eens een verliefd kneepje geeft, haar met eene eeuwige, heilige liefde aanbidt, en zich als een andere Werther om har tenminsten zich verdrinken zou, daar dit in dit land gemaklijker is, dan zich voor den kop te schieten. Alexis verbeeldt zich, dat hij een Meisje maar eens ter degen toe te lonken heeft, en dat dan haare gevoelige ziel zo aan hem verkleefd moet wezen, dat zij alle andere betrekkingen verachten moet, en haar Vader en Moeder haaten, en zich werpen in de armen van een Jongeling, die zo veel denkbeelden heeft van wezenlijk Menschengevoel en het verhevene der liefde, als de kat, die tegen de gindsche Boom opklaauwtert, van de Algebra.'

'Maar mijn Vriend, wat raad, wat raad!' riep de vader ontsteld.

Die heeft zijn vriend gelukkig ruimschoots voorhanden: 'Neem alle de sentimenteele jaa alle Romaneske Boeken uit de Kamer van Alexis en Sofia, want de beste Romans zijn nu vergift voor beide. Leg er eenvoudige zedekundige geschriften in de plaats, en sluit de genoemde Werken op.'

Goethes boek moge inmiddels tot de grens der onleesbaarheid zijn verouderd, het thema heeft zijn eeuwigheidswaarde behouden: de jonge rebel versus de boze, behoudzuchtige buitenwereld, die het niet accepteert als je aan andermans echtgenote zit en met hel en verdoemenis dreigt als je de baas over je eigen leven wenst te wezen. Men herkent in Werther de vrijgevochtenheid van de punkers, met die demonstratieve veiligheidsspeld door hun neus, hij is verwant aan Holden Caulfield, de dolende hoofdfiguur in Salingers *The Catcher in the Rye*, en wie aan de wieg van de jonge Oost-Duitse Edgar Wibeau heeft gestaan, de tragische held in Ulrich Plenzdorfs *Die neuen Leiden des jungen W.*, drong zelfs door tot de schedel van de toenmalige staatschef Erich Honecker, die bij de verschijning van het boek meende te moeten waarschuwen tegen de nieuwe subjectiviteit in de literatuur, op contrarevolutionaire wijze cumulerend in antisociaal en antisocialistisch geflirt met de dood.

In het Nederlandse taalgebied lijkt Werther nog het meest op Boudewijn Büch, althans op de dichter Büch, met zijn op vele Goethethema's gebaseerde poëtische Weltschmerz. Niet zozeer op de schrijver Büch, wiens monografie *Goethe en geen einde* (1990) helaas niet meer dan een opsomming van de feiten en feitjes is die er in de loop der jaren over Goethes kat, Goethes hond, Goethes bril en Goethes valse tanden in circulatie zijn gebracht. De jonge Werther en de jonge Büch, het zijn hooggetalenteerde jongelui, maar te ongedurig en te ongeduldig, de een om te leven, de ander om een behoorlijke Goethestudie te schrijven.

In 1938 publiceerde Thomas Mann een essay over Goethes *Werther*, die op de laatste bladzijde een interessante suggestie bevat. Stel je de volgende situatie voor, schreef Mann. Een oude dame brengt in 1816 een familiebezoek aan Weimar, de woonplaats van Duitslands meest gevierde, inmiddels bejaarde dichter en schrijver. De dame is Charlotte Kerstner, geboren Buff, die ooit model voor Werthers Lotte heeft gestaan. Het nieuws komt Zijne Excellentie al snel ter ore. Hij nodigt haar uit voor de lunch, waarna… 'Kort gezegd,' schreef Mann, 'ik denk dat dit gegeven zich uitstekend leent voor een beschouwelijke novelle of roman, over sentiment en literatuur, over waardigheid en ouder worden, waarbij tussen de bedrijven door een indringend beeld van Goethes karakter en genialiteit kan worden geschilderd. Misschien is er een schrijver die zich door het bovenstaande voelt aangesproken.'

Uiteindelijk schreef Mann die roman dus maar zelf. Het werd *Lotte in Weimar* (1939), een boek waarin een onverwachte blik op de battle of sexes wordt geworpen.

Er is in de rond veertig jaar dat zij, Charlotte Buff en Goethe, elkaar niet hebben gezien, veel veranderd. Charlotte is niet alleen oud maar ook wijs geworden, een vertegenwoordigster van een geslacht dat allang niet meer in eenvoudig naaiwerk de hoogste levensvervulling ziet. Goethe is op zijn beurt niet alleen oud geworden, maar heeft zich, als zovelen van zijn leeftijd- en seksegenoten, tot een traditionele conservatief ontwikkeld. De mannen zijn uitgeweend. Het was een ongewenste aanval van gevoeligheid geweest, waarna zij weer hun oude gewoonten (en machtsposities) hebben ingenomen. Goethe op kop. In feite is de Heros, de Geweldenaar, de grote, dierbare Meester inmiddels een onuitstaanbaar individu waar geen zinnig, menselijk woord uit te krijgen is, ook niet tegenover de aanbedene uit zijn jongelingsjaren. Hij orakelt boven de soep voornamelijk over het 'overdreven liberalisme', gedomineerd door 'de waan van de jongeren die zich met alle geweld met de hoogste staatsaangelegenheden wensen te bemoeien'. Om zijn bruuske humor wordt door de tafelgenoten 'gedienstig' gelachen. Behalve door Charlotte, die zich danig ergert aan Goethes haantjesgedrag. Na een gezamenlijk bezoek aan Theodor Körners treurspel *Rosamunde* ('In de parterre stromen iedereen de tranen over de wangen') brengt hij haar in zijn equipage naar het hotel. Zij geeft hem er ongenadig van langs. Wat is er na 'ons boekje, Werther' van de sensibele jongeling van vroeger terechtgekomen? 'Waar gewone mensen zich nog steeds graag willen laten ontroeren, maak jij de dingen koeltjes "interessant".' Zij zucht. En verzucht: 'Je hebt er goed aan gedaan, Goethe, dat je je ooit jeugdige gestalte in een kunstwerk vereeuwigd hebt, nu je als een stijfbenige excellentie het tafelgebed voor je hielenlikkers uitspreekt. Alle poëtische vernieuwing en verjonging ten spijt sta en loop je zo stijf dat het erbarmelijk is, en je loodzware hoffelijkheid kan, dacht ik, ook wel wat opodeldoc gebruiken.'

Goethe hoort haar met beleefde verbijstering aan. Wat durft die vrouw allemaal tegen hem te zeggen, tegen hem, de alom aanbeden vorst aller dichters en denkers, tegen hem die zelfs door zijn eigen moeder met u werd aangesproken! Maar zij, deze vrouw, is hem inmiddels vrijelijk gaan tutoyeren. Terwijl hijzelf niet anders dan de traditionele, in gietijzer gegoten beleefdheidsfrasen over zijn lippen kan krijgen!

Zo werden, in de persoon van Duitslands meest vooraanstaande kunstenaar, de eerste scheurtjes zichtbaar in het mannenbolwerk, opgetrokken uit eigenwaan en als vanzelfsprekend ervaren baasjesspelerij.

De jonge Werther had de vrouwen tot tranen toe weten te ontroeren; niettemin had zijn larmoyante optreden een onverwacht neveneffect. Kronkelend in het stof maakte hij hen van hun macht bewust. Wie had eigenlijk bedacht dat de vrouw de mindere van de man zou zijn? Werthers Lotte, en mét Lotte haar seksegenoten, had een lange weg te gaan, een marsroute die zeker nog anderhalve eeuw in beslag zou nemen.

'Als de vrouwen eens wisten wat zij zouden kunnen als zij zouden willen,' had Goethe eens gezegd. Zij wilden zoveel! Om te beginnen wilden zij geen huisslavin meer zijn. Zij wilden een gelijkwaardige plaats in een genormaliseerde samenleving mét behoud van hun geheime wapen: hun sensibiliteit, zij het niet in de overdosis die de jonge Werther fataal was geworden.

Nog was de tijd niet rijp. Eerst moesten er nog wat revoluties worden uitgeroepen en oorlogen worden uitgevochten, gebeurtenissen waarin de vrouwen, door aard en aanleg, een bescheiden aandeel zouden hebben, waardoor de mannen trouwens werden gestijfd in het denkbeeld dat zij nog steeds de eersten en de besten waren.

Toen brak, althans in het ontwikkelde en welvarende deel van de wereld, eindelijk een langdurige periode van vrede aan. En terwijl de mannen hun plaatsvervangende oorlogen naar de boksring en het voetbalveld verplaatsten, grepen de vrouwen hun kans. Zij lieten weten voortaan baas in eigen buik te zijn, infiltreerden de massamedia en bestormden het ambtenarenapparaat als ook de politieke instituties waar zij tot dusverre slechts de alibirol van die éne neger in het State Department hadden mogen spelen.

In de slaapkamer hadden zij altijd al de dienst uitgemaakt. Nu begon het eindelijk tot die botte mannenbreinen door te dringen dat hun partners (in werkelijkheid niet zelden hun voormalige partners) ook elders konden worden ingezet, sterker, het bleek in de praktijk dat zij zich in hun pasveroverde functies beter, intelligenter, integerder én sensitiever weerden dan hun toenmalige onderdrukkers ooit voor elkaar wisten te krijgen. Die bleven in hun gevoelsarmoede verschanst en vroegen zich verbijsterd af hoe het ooit zover had kunnen komen.

De vrouwelijke vechtlust, waarvan altijd was beweerd dat die niet bestond, was beloond, de vrouwelijke rede, die altijd laatdunkend was ontkend, had getriomfeerd, de enige oorlog die de moeite van het voeren waard is, was uitgevochten. De jonge Werther had zijn tranen niet voor niets gestort.

Mijn eerste kennismaking met het symfonisch werk van Gustav Mahler vond plaats onder tamelijk excentrieke omstandigheden. Ik werkte als stadsverslaggever bij de Friese editie van *Het Vrije Volk*. Ik wist maar weinig, behalve dat het lezen van een boek je wat wijzer maakte en Mozart en Schubert betere muzikanten waren dan de leden van het VARA-dansorkest The Ramblers.

Mahler was bij ons, in Leeuwarden, een grote onbekende. Weliswaar was het Frysk Orkest voorhanden, dat geroutineerd het ijzeren repertoire – Bach, Beethoven, Brahms – ten gehore bracht. Mahler viel echter buiten de mogelijkheden. Tegen die gigantomane partituren was dit ensemble alleen al qua personele bezetting niet opgewassen.

Toen kwam het nieuws dat wij het bezoek van het Concertgebouworkest konden verwachten. Met Mahlers Eerste Symfonie ('Titan'), gedirigeerd door de jonge en onstuimige Bernard Haitink.

Er ging een rilling door muzieklievend Friesland. Het Concertgebouworkest! Met Mahler, een componist die weliswaar in die tijd nog lang niet zo populair was als tegenwoordig, maar van wie wij via doorgaans welingelichte kringen hadden vernomen dat hij in spectaculaire klankkathedralen was gespecialiseerd.

Het eerste probleem was de plaatselijke schouwburg. Dat was De Harmonie, zo'n typisch provinciaal cultureel centrum, dat nog net een symfonie van Tsjaikovski kon bergen. Maar Mahler... daar was geen denken aan. Dus weken de organisatoren uit naar de wat ruimer bemeten Beurs, waar zich een ander probleem voordeed, te weten de allerbelazerdste akoestiek. Bestuurlijke daadkracht was geboden. In mijn stadsrubriek 'Onder de Oldehove', gespecialiseerd in lokale ditjes en datjes, registreerde ik nauwgezet hoe de gemeente alle tapijthandelaren ter stede mobiliseerde teneinde de nagalm tot een minimum te beperken.

Mijn herinneringen aan Haitinks uitvoering zijn ongetwijfeld door de decennia bijgekleurd. Niettemin ben ik er zeker van dat het ademstokkend moet zijn geweest. Op wolkjes zweefde ik na afloop in de richting van het redactielokaal en improviseerde achter de telex een hooggestemde Mahlerhymne. Zo'n stuk hoorde helemaal niet thuis in een krant als de onze, die tamelijk cultuurvijandelijk was. Laat staan als het een kunstenaar als Mahler betrof. Mahler? Wat moest de sociaal-democratie met Mahler, een typische bourgeoiscomponist die veel te ingewikkeld voor de arbeidersklasse was? Ik trok mij daar niets van aan en beschreef in vurige bewoordingen de existentiële ervaring die dit concert voor mijn jong en ontvankelijk gemoed had betekend.

Gustav Mahler is een drug, ook voor diegenen die al hun leven geen geestverruimende genotsmiddelen hebben aangeraakt. Zo is het, wat mij betreft, gebleven, negen Mahlersymfonieën lang. Zij zijn niet zo uitgewogen als de negen symfonieën van Ludwig van Beethoven, zij kennen niet de melodische rijkdom van de negen symfonieën van Antonín Dvořák, zij hebben niet de beteugelde hartstocht van de negen symfonieën van Anton Bruckner en zij lijken weinig op de delicate negen symfonieën van Franz Schubert, behalve misschien in de gemeenschappelijke ondertoon van naïviteit en keeltoesnoerende desolaatheid.

Ooit is er een tijd geweest waarin muziek zo omstreden was dat de toehoorders – voorstanders en tegenstanders – elkaar met de klapstoelen te lijf gingen, aangevuurd door critici wier aangebrande beschimpingen ons achteraf hogelijk verbazen. Zij spraken over Stravinsky's *Massacre du Printemps* en noemden Brahms' Eerste

Symfonie 'de apotheose van de arrogantie'. Tsjaikovski's Vioolconcert stonk je de oren uit. Strauss' symfonisch gedicht *Till Eulenspiegel* was de klankgeworden decadentie. Bizet werd voorspeld dat hij in een krankzinnigengesticht zou eindigen en Wagner werd getypeerd als de Hofcomponist van Beëlzebub.

Inmiddels vindt het publiek bijna alles mooi, van de strijkkwartetten van Schubert tot de eenakters van Schönberg. De emoties worden gekanaliseerd in routineus gejuich, en het boegeroep is exclusief gereserveerd voor de regisseur, als hij Mozarts *Così fan tutte* in een snackbar of Beethovens Fidelio in een concentratiekamp heeft gesitueerd.

De enige nog enigszins omstreden componist is en blijft Richard Wagner. Ik herinner mij een concert van Wagnerfragmenten, rechtstreeks op de radio uitgezonden vanuit het Concertgebouw. De omroeper verontschuldigde zich zo uitgebreid voor het gebodene dat het leek alsof wij een bordeel in plaats van een concertzaal werden binnengeleid.

Wagner heeft het ernaar gemaakt. Hij was bij leven en welzijn een wandelend schandaal, zedelijk, politiek en in artistieke pretentie. Bovendien werden zijn germanofiele fratsen door de nazi's geannexeerd, zodat hij tot op heden ook ideologisch onder vuur ligt, zij het wat minder dan vroeger, toen wij de Tweede Wereldoorlog nog niet hadden uitgezweet. Inmiddels is de vrede bijna getekend. Zijn *Tristan* is zelfs een gegarandeerde kassakraker, en bij de laatste voorstelling van de *Meistersinger* zijn demonstraties en spreekkoren ('Wagner raus aus Amsterdam!') uitgebleven.

Hoe staat het echter met de populariteit van zijn biografische tegenvoeter Gustav Mahler, de Boheemse jood wiens oeuvre door de nazi's natuurlijk werd verboden? Mahler die, net als zijn antisemitische collega Wagner, balanceerde op de toppen van de hoogromantiek, waar zij gezamenlijk het einde van een tijdperk en het begin van een tijdperk markeerden. Mahler die het publiek even heftig en compromisloos met zijn mammoetpartituren confronteerde als de schepper van *Der Ring des Nibelungen* dit ten overstaan van zijn eigen volgelingen placht te doen,

Hij is op het oog een cultcomponist geworden. De Mahler-haters zijn, evenals de Wagnerhaters, lelijk in het defensief gedrongen.

Maar zij zijn er nog steeds.

Waarom niet? Het is even legitiem om van Mahler te houden als om hem te verafschuwen. Zijn vijanden van nu hanteren trouwens andere, heel wat eerbaarder argumenten dan zijn vijanden van vroeger. Die verketterden hem – ik parafraseer het rijke arsenaal aan enkelvoudige en meervoudige beledigingen – als een gedegenereerde jood die door zijn tirannieke optreden alle talent de Weense Hofopera uit had gejaagd en tussen de bedrijven door bij een prostituee in een Weense voorstad een syfilitische ontsteking had opgelopen, wat trouwens allemaal gelogen is.

De bezwaren tegen Mahler zijn in het nieuwe millennium goeddeels esthetisch van aard. Zijn werk, zo menen zijn critici, is te lang en te luid, excentriek en sentimenteel, pathetisch en pseudo-diepzinnig. Het moet worden beschouwd als pseudo-religieus postmodernisme avant la lettre.

Dat mag men vinden, in het liberale Nederland. Trouwens, een kunstenaar die dit soort heftige gevoelens wakker weet te maken, is op zijn minst interessant.

Ik zat eens op een journalistenreisje door de Bondsrepubliek naast een lot- en landgenoot in wie ik een cultureel bevlogen man vermoedde. Dus wees ik hem vriendschappelijk op het feit dat die avond in de Keulse Philharmonie Mahlers Zesde ten gehore zou worden gebracht. Voelde hij er iets voor om daar getweeën naar toe te gaan? Het was of hij door een adder gebeten werd. 'Ik denk er niet aan!' siste hij. 'Mahler! Ik verafschuw Mahler! Mahler is banaal! En als ik iets háát is het banaliteit!' Vervolgens ging hij mokkend uit het raam van de bus zitten staren, zodat ik schouderophalend een ander plaatsje ben gaan zoeken, mij oprecht verbazend over de vraag hoe iemand zo kwaad kon worden over de imponderabilia van de goede hetzij de slechte smaak.

De onmeetbaarheid van de Mahleresthetiek wordt geïllustreerd door de verschillende visies van Simon Vestdijk en Maarten 't Hart, geachte en geleerde schrijvers wier ware hartstocht in feite niet bij de literatuur, maar bij de toonkunst ligt.

Vestdijk schreef tien delen muziekessays waaronder een gedetailleerde studie over Mahlers negen symfonieën. Het proza dat hij hanteerde is niet onproblematisch. Vestdijk over Mahlers Zevende: 'Voor 3-1 moest hij niemand minder dan Pan mobiliseren, met mithologisch en plebejisch toebehoren. In 5-5 deed hij het weer anders: hij riep de fugavorm te hulp, en niemand merkte meer dat er iets haperde. Een noodoplossing slechts, want een fuga hoort in een "diastolische" symfonie van Mahler nauwelijks thuis. Fuga en fugato komen bij hem voor in de "even" symfonieën: tweede, achtste en negende (=10). Het "feest" werd hier gestroomlijnd tot "werk". Een meeslepend stuk, lang niet het minste uit deze vijfde. Maar de Finale uit de zevende beschouw ik als een vergissing.' Aldus Simon Vestdijk, Mahler-kenner te Doorn (Utr.), vrij associërend achter zijn piano.

De eerste Mahlersymfonie die Anton Wachter (lees: Simon Vestdijk) leerde kennen, was de Vierde, uitgevoerd in Het Concertgebouw, ongetwijfeld gedirigeerd door Willem Mengelberg.

Vestdijk heeft zijn 'onbeschrijfelijke' emoties beschreven in *De Beker van de Min* (1957). Vestdijk: 'Het was dé muziek. De andere componisten konden wel inpakken, de zware Bach, de zoetelijke

Mozart, Beethoven met altijd een gebalde vuist in de broekzak van een tere melodie van satijn, de verfoeilijke Mendelssohn.'

Maarten 't Harts eerste confrontatie met Mahler verliep geheel anders. Het was in hetzelfde Concertgebouw en betrof dezelfde Vierde, de overigens kortste en meest toegankelijke van de negen. 't Hart vond de compositie echter 'vooral lang', 'een van de grootste teleurstellingen van mijn leven'.

Wie heeft gelijk? 't Hart omdat hij zich verveelde. En iedere andere toehoorder die zich niet verveelt, maar zich daarentegen onbelemmerd en genoeglijk door de 'himmlische Freude' van het kunstwerk de zinnen laat strelen.

Het is interessant te zien hoe Mahlers oeuvre de toehoorders, vroeger en nu, emotioneert – in positieve en negatieve zin. Alex van Amerongen, muziekrecensent van de toenmalige *Nieuwe Rotterdamse Courant*, sprak over 'muziek met lege plekken vol ziekelijk zelfmedelijden'. Maarten 't Hart, overigens een eminent muziekbeschouwer, laat op zijn beurt geen gelegenheid ongebruikt om zijn diepe afkeer jegens 'deze neurotische, depressieve muziek' uit te spreken. Hij vindt het 'bespottelijk dat zoveel Nederlandse muziekliefhebbers zweren bij de muziek die zo'n getrouwe weerspiegeling is van ons klimaat. Om met Bloem te spreken: "De najaarsluchten jagen, zwaar en zwart, in mistige wolken waait een kille regen".'

Het is inderdaad bij uitstek muziek die een scala aan sentimenten mobiliseert, door de componist hoogstpersoonlijk aangezwengeld. Mahler over het aliegro maestoso van zijn Tweede Symfonie: 'Wij staan aan het graf van een innig geliefde vriend. Voor de laatste keer overdenken wij zijn leven, strijden en lijden. En thans, op een moment dat ons alle trivialiteiten van het bestaan voor ogen staan, overdenken wij vol ontroering: Wat is het leven? Wat is de dood? Is er een hiernamaals? Is dat slechts een droom of hebben leven en dood een diepere betekenis?'

Mahler, tijdens het componeren van zijn Derde symfonie, wandelend met zijn jonge vriend Bruno Walter in het gebergte van Steinbach am Attersee: 'Sie brauchen gar nicht mehr hinsehnen – das hab ich schon alles wegkomponiert.'

Simon Vestdijk over Mahlers Vierde: 'Het eerste deel was van een sierlijkheid, een onbeschrijfelijke geestigheid, waar men toch niet om lachen kon, eerder huilen, of iets tussenbeide; het schellenmotief was gewoon brutaal, als het terugkwam zat je te beven op je stoel.'

Lachen. Huilen. Of iets daartussenin. Vestdijks muziekanalyses bewijzen voornamelijk dat hij, schrijvend over de meest abstracte aller culturele disciplines, regelmatig woorden te kort kwam.

Hij niet alleen. De dirigent Wilhelm Furtwängler liet tijdens een repetitie van Mahlers Vijfde geresigneerd zijn dirigeerstok zakken en sprak: 'Deze symfonie is zo ongrijpbaar dat men zich onwillekeurig afvraagt of het leven wel zin heeft. Het is de meest pessimistische muziek ter wereld.'

De muziekcriticus Matthijs Vermeulen, over de vijf kwartier omvattende 'verstomde wezenloosheid' van Mahlers Zesde: 'Je zat daar murw, geknauwd, gekraakt, vermorzeld, terwijl alles in puin lag wat je hart ooit gewenst had, en met een oerwijze kraai achter je, die in je oren krast: never more, never more!'

Mahler, inspiratie zoekend voor zijn Zevende, op de jaarmarkt, met de karakteristieke geluiden van het carrousel en de militaire blaaskapel: 'Hoort u het? Dat noem ik pas polyfonie! Zo heb ik het ooit, toen ik een kleine jongen was, gehoord in het Iglauer Wald. Je kunt er alles in beluisteren. Het duizendkelige vogelgezang, het huilen van de storm, de deining van de branding en het geknisper van het haardvuur.'

Matthijs Vermeulen, over Mahlers Negende: 'Hij rilt. Hij verweert zich met de grootste inspanning. Maar hij kan niet anders meer voelen dan gruwend, dan ijzend, dan rillend. Alles wat hij doet, ook smeken en bidden, brengt hem naar die glazige kille holte in hem, naar die glurende obsessie. Wanneer zijn hele lichaam allang bleke, koude stilte geworden is, wil hij nog niet zwijgen. Hij stamelt zachtjes door. Hij fluistert, bijna geluidloos. Lieve, innige, onnozele tederheden. Tot hij niet verder kan.'

IJzend en rillend in een glazige kille holte. Het is de traditionele impressionistische machteloosheid, zowel van de zijde van de componist als van zijn critici en zijn vertolkers. Men kan zich dus voorstellen wat er in de loop der jaren voor een hooggestemde woorden zijn gewijd aan Mahlers Achtste, zijn Symphonie der Tausend, zijn ultieme troefkaart, zijn poging om voor eens en altijd naar de sterren te reiken.

Mahler is de schepper van een ongewoon gecompliceerd oeuvre, dat in zijn loden ernst en zijn universele pretentie de sfeer van een plaatsvervangende godsdienstoefening ademt. Dat werkt menigeen – het is begrijpelijk – enigszins op de zenuwen. Nauwelijks hebben wij God doodverklaard of daar verschijnt Gustav Mahler, die zich breeduit op Zijn zetel nestelt.

De leeuwenmoed waarmee Mahler zich de eerste plaats in het muziekleven van zijn tijd bevocht, zowel in zijn hoedanigheid van componist als in de functie van directeur van de Weense Hofopera, dwingt ons echter zowel zijn herscheppende als scheppende arbeid serieus te nemen.

Hij was jood in een virulent anti-joodse samenleving en droeg zijn jodendom als de bijbelse molensteen om de hals. Eens zat hij met zijn collega-componist Engelbert (*Hänsel und Gretel*) Humperdinck in het café.

Kon Humperdinck hem wellicht een jonge, talentvolle dirigent aanbevelen?

'Jazeker,' zei Humperdinck, 'een van mijn leerlingen. Leo Blech is de naam.'

'Blech?' vroeg Mahler, 'Blech? Een jood, neem ik aan?'

'Ja,' zei Humperdinck.

'Jammer, dat gaat niet,' zei Mahler, 'zelfs als deze Blech zich, zoals ik, heeft laten dopen. Niettemin ben ik in de ogen van de antisemieten nog steeds een jood, en meer dan één jood kan de Weense Hofopera zich niet veroorloven.'

De overgang van het jodendom naar het katholicisme was van overheidswege een dwingende voorwaarde voor Mahlers benoeming geweest. De componist stribbelde niet tegen. Hij nam deze stap niet uit opportunisme, zoals joden én antisemieten insinueerden, maar omdat dit geloof beantwoordde aan zijn behoefte aan kleurrijk ritueel, aan bezinning op existentiële problemen des levens, terwijl hij de H. Maria in feite nog vuriger beminde dan zijn jonge echtgenote Alma, 'het mooiste meisje van Wenen', met wie hij in 1902 in het huwelijk was getreden, tot wilde woede en blinde afgunst van de mannelijke populatie van de hoofdstad der Donaumonarchie. In zijn onverbiddelijke rechtlijnigheid was Gustav Mahler plus catholique que les catholiques geworden. 'Geen kerk kon hij links laten liggen, hij hield van zowel het gregoriaans als van de geur van wierook,' getuigt Alma Mahler in haar gedenkschriften.

Mahler leidde de Weense Hofopera van 1897 tot 1907, een glorieus decennium waarin dit door en door reactionaire instituut grondig werd afgestoft. Het repertoire werd vernieuwd, uitgezongen zangers en zangeressen werden gepensioneerd, luidruchtig klossende laatkomers mochten de zaal niet meer in, er werd opgetreden tegen de luimen der prima donne en primo signori, de door hen ingehuurde claque werd verboden en van zowel de vocalisten als de instrumentalisten werd discipline en precisie geëist.

'Mijn grootste verdienste is dat ik de musici dwing datgene te spelen wat er in de partituur staat,' zei Mahler.

Richard Strauss was zijn absolute tegenpool, in elk geval qua karaktervastheid. Strauss schreef aan de 'hochverehrteste gnädige Frau' Cosima Wagner dat hij het *Requiem* van Hector Berlioz als 'de rijpste schepping van dit merkwaardige genie' beschouwde. Waarop de graalhoudster van de firma Wagner koel liet weten 'een uitgesproken tegenstandster' van de desbetreffende compositie te zijn. Strauss ging onmiddellijk bij zijn geweten te rade om razendsnel tot de conclusie te komen dat het hoogstens het 'vreemde, curieuze, bizarre' was geweest dat hem in Berlioz' *Requiem* had aangetrokken. 'Wij, beklagenswaardigen, zijn gedwongen zoveel alledaagse, vervelende muziek aan te horen. Ja, duurden de Bayreuther Festspiele maar het hele jaar! Nu zijn wij al te vaak verplicht te kiezen tussen de bleekneuzerij van Mendelssohn en het trapezewerk van Berlioz!'

Richard Strauss is het prototype van een kunstenaar die veel talent en geen karakter had. Zie zijn beoordeling van *Die drei Pintos*, de onvoltooide opera van Carl Maria von Weber, een werk dat door Mahler podiumrijp is gemaakt. Het was 'een meesterstuk', meldde Strauss aan Hans von Bülow, een van de meest invloedrijke musici van die tijd. Von Bülow vond deze opera helaas 'een inferieur, antiquarisch prul'. Dus Strauss draaide andermaal honderdtachtig graden rond zijn as en liet weten dat zijn oordeel 'verschrikkelijk voortijdig' was geweest, gebaseerd op een door Mahler persoonlijk aan de piano voorgedragen fragment, 'en ik betreur, hoogvereerde Meester, dat u daardoor het onschuldige slachtoffer van mijn jeugdige haast bent geworden'.

Dit soort artistieke wankelmoedigheid was Mahler vreemd. Zijn hoogste baas was keizer Franz Joseph. Diens woord was wet. Behalve voor de zelfbewuste en zendingsbewuste Gustav Mahler.

Tot de hofcamarilla behoorde een componerende aartshertog die zich in zijn avonduren waarachtig aan een echte opera had bezondigd. Het was natuurlijk brandhout. Desondanks decreteerde Zijne Allerkatholiekste Majesteit via een zijner ambtenaren dat het de koninklijk-keizerlijke wens was dat de opera door Mahler op het repertoire zou worden genomen.

'De wensen van Zijne Majesteit kan ik niet vervullen,' zei Mahler. 'Wel zijn bevel. Ik zal het op de affiches laten drukken: Op bevel van keizer Franz Joseph... de première van de opera x, gecomponeerd door aartshertog y...'

Het was de laatste keer dat het hof Mahler een hem onwelkome compositie probeerde op te dringen.

Het 'kunstgerommel van joden en jodengenoten' (de formulering is van de onverbeterlijke Richard Strauss) was in die dagen een courant onderwerp van gesprek. Strauss zal zich echter jegens de invloedrijke directeur van de Hofopera wat dit thema betreft ingetogen hebben gedragen, want hij had Mahler nodig voor de Weense première van zijn opera *Salome*.

Strauss was, behalve een twijfelachtig individu, ook een kunstenaar van de eerste rang, en zijn *Salome*, gebaseerd op de schandaalverwekkende eenakter van Oscar Wilde, beloofde wat betreft partituur en scenische conceptie een artistieke daad van ongeëvenaard belang te worden. Het was niettemin vanaf het begin duidelijk dat *Salome* onmogelijk op de koninklijk-keizerlijke, maar vooral katholieke bühne kon worden geduld.

Men stelle zich de situatie voor in een milieu waar het om te beginnen verboden was bijbelse figuren ten tonele te brengen. Laat staan een bijbelse figuur als de nieuwtestamentische puber Salome, die in een staat van onverbloemde seksuele verhitting de profeet Johannes de Doper het hoofd liet afslaan opdat zij, de machtige prinses van Judea, hem ongehinderd de bloedeloze lippen kon kussen.

Aubrey Beardsley heeft zich over haar ontfermd. Gustave Flaubert heeft haar geportretteerd, Guillaume Apollinaire heeft haar beschreven. Maar de Salome aller Salomes is uiteindelijk die van Richard Strauss.

Zijn tijdgenoten ervoeren de opera als het dieptepunt van moreel verval, wat meestal een gunstig teken is. In Engeland en Duitsland werden gekuiste versies vervaardigd waarin de handeling van Judea naar Griekenland was verlegd en de hoofdfiguren werden ontbijbeld. In de Verenigde Staten reageerde het publiek (in 1907) met de kilheid van een frigidaire. 'Vrijwel woordeloos verlieten de toeschouwers het theater, de meeste gezichten wit als krijt,' berichtte een tijdgenoot, 'de dames waagden het niet te spreken, de heren fluisterden, als waren zij uit een boze droom ontwaakt.'

Een première in Wenen, de zetel van de keizer, van dit 'onvergelijkbare, zonder meer hoogst originele meesterwerk' (Mahler) was bij voorbaat kansloos. De censuur liet weten dat de compositie zich dusdanig op het gebied van de 'seksuele pathologie' begaf dat *Salome* op 'religieuze en zedelijke gronden' niet tot de Hofopera werd toegelaten. Dus week *Salome* uit naar de schouwburg van Graz, waar de censuur blijkbaar wat soepeler was.

Het Weense verbod is in feite de enige nederlaag die Mahler gedurende de tien jaar van zijn alleenheerschappij over Europa's belangrijkste operahuis heeft geleden. Het conflict was dankbaar materiaal voor de Weense roddelpers, tot op heden gespecialiseerd in het onttronen van lokale kunstpausen, en het zal ongetwijfeld veel aan zijn voortijdige vertrek hebben bijgedragen.

Men herkent Salome in twee schilderijen van Mahlers tijd- en stadsgenoot Gustav Klimt, *Pallas Athene* uit 1898 en *Judith II* uit 1909, portretten die onmiskenbaar de trekken van Alma Mahler dragen. Zij was de gereïncarneerde Belle Dame sans Merci, een alle mannenharten – ook dat van Klimt – ontregelende schoonheid, die bovendien ongewoon intelligent en kunstzinnig was.

Op haar twintigste had zij reeds de complete Plato en Nietzsche gelezen, later vertaalde zij de kerkvaders uit het Grieks, en daarnaast had zij compositorische aspiraties. Er lagen reeds een pianosonate, een ontwerp voor een opera en meer dan honderd liederen op de plank toen Mahler haar, in hun verlovingstijd, het componeren doodeenvoudig verbood. 'Er is in ons huis maar één componist. Dat ben ik,' schreef hij zijn aanstaande echtgenote, een vorm van masculiene hoogmoed die in zijn tijd gebruikelijk was.

Het is de grote neurose van haar leven geweest, 'een schrijnende wond die nimmer is geheeld'. Inmiddels is zij een boegbeeld van de moderne vrouwenbeweging geworden, het vleesgeworden bewijs van het feit dat de man geen vrouwelijke creativiteit naast zich zou dulden.

Dit verwijt moet enigszins worden gerelativeerd. Toen Mahler in 1911 overleed, was Alma Mahler een jonge bloem van eenendertig. Zij heeft haar male chauvinist pig drieënvijftig jaar overleefd, een periode waarin zij, als zij dat had gewild, moeiteloos een vrouwvriendelijke pendant van *Der Ring des Nibelungen* had kunnen componeren. Er is echter niets meer uit haar vingers gekomen. Zij koos ervoor om haar creatieve energie op een andere wijze te investeren: als beddensprei van de schilder Oskar Kokoschka, de architect Walter Gropius en de schrijver Franz Werfel, ondertussen tegenover iedereen die het maar horen wilde haar beklag doende over de wijze waarop haar eerste echtgenoot haar de entree tot de Olympus had geblokkeerd.

Maar in de kern had Alma Mahler gelijk. Zij was een slachtoffer van de mores van haar tijd. Voor de rest is het niet eenvoudig om positief over haar te oordelen. Zij werd op latere leeftijd het prototype van de kunstenaarsweduwe die met haar zwaarlijvige achterwerk op de artistieke erfenis van haar echtgenoot of echtgenoten zit, onderwijl haar rol in het oeuvre van de overledene(n) tot mythische proporties opblazend.

Op het eerste gezicht en gehoor doet Mahlers Achtste, de symfonie die hij aan Alma heeft opgedragen, verlangen naar de ingetogenheid van een pianoconcert van Mozart of de weldadige koelte van Bachs Goldbergvariaties. Sprak hier een man met een missie of had de hoogmoedswaanzin definitief toegeslagen? Hoe moet men denken over een compositie die niet meer of minder pretendeerde dan 'het universum te verklanken'?

Mahler was geen opsnijder. Hij was veeleer het romantische archetype van de kunstenaar die beseft dat woord en klank niet tegen het onbeschrijfelijke zijn opgewassen. Laten wij niet de fout maken een honderd jaar oud kunstwerk te beoordelen naar de maatstaven van thans. Ondertussen maakte men wél wat mee, daar bij de première in die concertzaal in München! Het koor zet in op oceaankracht *Veni creator spiritus* in… Glorie zij de Heilige Vader en Zijn uit de doden herrezen Zoon, onze troosters in alle eeuwigheid! Er is sprake van de geboren Eros benevens de Mater Gloriosa, redders van de wereld en antipoden van het door Mahler zo verachte rationalisme. De boze geesten worden niet door de gebruikelijke hellepijnen geteisterd, maar door allerhande liefdeskwalen, waarvan ook de oude satan het slachtoffer dreigt te worden.

Halleluja, wij triomferen!

Om het universum op muziek te zetten heeft men een ruime personele bezetting nodig. Wat Mahler zijn premièrepubliek voorzette, tart ook in dit opzicht elke beschrijving: een koor van 850 leden (onder wie 350 kinderen) en een 146 koppen tellend orkest, aangevuld met acht solisten, vanuit de zaal opererende trompetten en bazuinen, en een massaal apparaat aan slagwerk, ondersteund door het orgel, de celesta, het klokkenspel en (niet te vergeten) een mandoline.

De componist had duidelijk behoefte zijn hart uit te storten. Het is geen toeval dat de ontstaansgeschiedenis van de symfonie (geschreven in 1906, uitgevoerd in 1910) samenviel met een drievoudige crisis in Mahlers leven. Hij was door de Hofopera uitgespuwd, Alma bleek hem ontrouw te zijn en wat zijn fysieke en geestelijke toestand betreft, stond hij onder permanent dokterstoezicht en was hij net teruggekeerd uit Leiden, waar zijn landgenoot Sigmund Freud, die in de buurt met vakantie was, hem aan een spoedanalyse had onderworpen.

Maar voor één moment was hij alle ellende en vernederingen vergeten. Wat een evenement! Heel kunstlievend Europa woonde de première bij. Plus een groot aantal van Mahlers vijanden, gewapend met fluitjes en ratels. De stemming in de zaal was echter zo uitgesproken 'pro-Mahler', getuigde Alma Mahler, dat niemand het waagde 'deze stroom aan vrome klanken' te onderbreken.

Mahlers biograaf Henry-Louis de La Grange heeft 'deze grootste triomf uit de muziekgeschiedenis' zorgvuldig gereconstrueerd. Eigenlijk zag Mahler (net vijftig geworden) terug op een compositorische loopbaan die werd gekenmerkt door hele en halve mislukkingen. Maar nu! Het muziekstuk werd in haast gewijde stilte aangehoord. Toen was het woord aan de zaal. Het applaus nam zeker een halfuur in beslag. Het kinderkoor zwaaide uitzinnig met hun zakdoeken en koorpartijen. 'Leve Mahler! Leve onze Mahler!' De componist had al zijn leven nog niet zoiets mogen horen.

Uiteindelijk stormden de kindertjes naar voren om Mahler onder bloemen te bedelven en hem de lauwerkrans op de slapen te drukken. Terwijl de tranen de componist over de wangen liepen, baande hij zich, samen met Alma, een weg door de menigte, in de richting van de uitgang.

Slechts één persoon onder zijn vrienden en bewonderaars deelde niet in de algemene euforie. Het was de criticus en Mahlerbiograaf Richard Specht. 'Hij zal spoedig sterven,' zei Specht somber. 'Kijk naar zijn ogen. Dit is niet de blik van iemand die over het leven triomfeert, het is de blik van een man die reeds de hand van de dood op zijn schouder voelt rusten.' Mahler heeft de première van zijn Achtste Symfonie inderdaad nog geen acht maanden overleefd.

Gedurende het Derde Rijk stond hij, ruim twintig jaar na zijn dood, in de luwte. Maar toen hij halverwege de jaren zestig steeds beroemder werd, neigden zijn biografen ertoe de weduwe tot de feeks te hermodelleren die zij als jonge vrouw en echtgenote onmogelijk kan zijn geweest.

Françoise Xenakis, vrouw van de beroemde componist, zelf schrijfster van formaat, heeft ten huize van Henry-Louis de La Grange een exemplaar van Alma's memoires ingezien. Deze La Grange is – dit terzijde – de allergeleerdste onder de Mahlergeleerden, die in deze hoedanigheid niet genoeg kan worden geprezen. Maar ook hij is inmiddels, zoals veel historici, helaas van zijn studieobject gaan houden, constateert Françoise Xenakis ironisch, verwijzend naar La Granges potloodgekrabbel in de marge van Alma Mahler gedenkschriften.

'Ik geloofde mijn ogen niet!' schrijft Françoise Xenakis. 'Ik las… des choses horribles! Ik las: Garse! Saloppe! Conasse! Imbécile! Of uitroepen als: Het is niet waar! Of: Hoe durft ze! Scheldwoorden die voor mij een bewijs van totaal onbegrip inhielden.'

Onbegrip voor het lot van een der meest dramatische vrouwen van de twintigste eeuw, een vrouw die tot op heden onloochenbaar het slachtoffer van de vigerende fallocratische vooringenomenheid is. Het heeft toentertijd bijna haar huwelijk met Mahler doen stranden. Op het dieptepunt van hun huwelijkscrisis trof zij hem achter de piano aan, terwijl hij liederen, háár liederen, zong. En berouwvol riep: 'Wat heb ik gedaan! Ik kortzichtige! Deze liederen zijn goed!' Was hij maar eerder tot die ontdekking gekomen, niet zozeer in het belang van de toonkunst – want zo goed zijn die liederen ook weer niet – maar in het belang van hun echtverbintenis.

De bovenomschreven scène heeft een interessante echo gehad in de Nederlandse literatuur, via de pen van de ongeneeslijk door de *bacillus mahleriensis* aangestoken Simon Vestdijk. In zijn roman *De kellner en de levenden* (1949) worden twaalf bewoners van een grootstedelijke flat in een stationsrestauratie verzameld. Wij zijn getuige van de Jongste Dag. De morsige chef-kelner, ene Leenderts, ontpopt zich als satan in eigen persoon. Dan klinkt vanaf het perron plotseling een krachtige alt. Zij zingt met wiegende boezem Mahlers *Kindertotenlieder*. 'In diesem Wetter, in diesem Braus, Nie hätt' ich gesendet die Kinder hinaus…' Het is de – overleden – echtgenote van een der flatbewoners, de tandarts.

'Dat had zij altijd willen zingen,' fluistert hij, half in tranen. 'Ik heb haar tegengewerkt. Dit is mijn straf, o God, hoe moet dit aflopen…? Ik heb haar jaren gepijnigd, altijd tegengewerkt. Ik zei haar, dat ik niet tegen haar gezang kon, onder mijn werk, dat mijn handen ervan begonnen te trillen. Dat was ook wel zo, maar voor haar was het alles, en zij had een prachtige stem en had het ver kunnen brengen. Toen kreeg zij die stembandverlamming, en toen was het afgelopen, de hoge tonen wilden niet meer; en zij heeft altijd volgehouden dat het door mij kwam, door mijn voortdurende tegenwerking. O, zij twijfelde er niet aan, of het kwam door mij.'

Het lijkt me een literaire metafoor voor de artistieke spanningen tussen Alma Mahler en haar egocentrische echtgenoot. Vestdijk moet, als Mahleriaan, Alma Mahlers *Erinnerungen und Briefe* (uitgeverij Allert de Lange, 1940) hebben gekend, waarin zowel gewag wordt gemaakt van het componeerverbod als van de latere, mislukte poging de partners te verzoenen. De rol van Mahlers *Kindertotenlieder* in deze scène in combinatie met de verzuchting 'Ik heb haar jaren gepijnigd, altijd tegengewerkt', het kan geen toeval zijn.

Het was onvermijdelijk dat een ongemakkelijk en veeleisend man als Gustav Mahler, wonend en werkend in het diepreactionaire Wenen, op een gegeven moment in moeilijkheden zou komen. In de lokale dag- en weekbladen werd steeds meer tegen hem gepolemiseerd. Een 'halfgekke, grootheidswaanzinnige theatercaligula' werd hij genoemd, een 'uit de goot omhooggekropen joods-Boheemse vampier', wiens uitvoering van *Le Nozze di Figaro* 'aan idiotie' zou grenzen en wiens *Tristan* 'gesproken, gedeclameerd, gelispeld, maar niet gezongen' werd.

Op 7 december 1907 hing hij zijn afscheidsbrief 'aan de geëerde medewerkers van de Hofopera' op het prikbord: 'In het strijdgewoel, in de hitte van het ogenblik, bleven wonden en misverstanden u en mij niet bespaard.'

Nog dezelfde dag werd het schrijven door een anonymus van het tableau gerukt en, in stukken gescheurd, op de grond gegooid.

Mahler had zijn bureau allang ontruimd toen een zeventienjarige landgenoot, een student rechten, op zijn beurt de pen ter hand nam om de jongste ontwikkelingen op cultuurpolitiek gebied in kaart te brengen. De geadresseerde was zijn zuster, ergens in de provincie. Zij moest, aldus de briefschrijver, zo snel mogelijk naar Wenen komen, want de nieuwe enscenering van de *Tristan* was formidabel, mede dankzij de personele veranderingen die zich aan de top van de Hofopera hadden voltrokken. 'Sinds 1908 fungeert de huidige directeur Felix von Weingarten (christen uit München) als opvolger van Gustav Mahler (jood uit Wenen). Zijn vertrek was onvermijdelijk, ofschoon de Weense jodenkliek zich daarover in hoge mate heeft opgewonden. Bijgesloten het gedicht dat ik onlangs op muziek heb gezet. Heil dir!'

Was getekend Arthur Seyss-Inquart, van eind 1940 tot mei 1945 'Reichskommissar für die besetzten niederländischen Gebiete', in oktober 1946 opgehangen wegens oorlogsmisdaden benevens misdaden tegen de menselijkheid.

Er zijn twee wereldoorlogen nodig geweest om de mensheid enigszins te laten beseffen welke verschrikkelijke ideologische opvattingen onze voorvaderen plachten te cultiveren, met name met betrekking tot etnische minderheden. Alma Mahler zelf was, ondanks haar hartstochtelijke voorkeur voor joodse echtgenoten, een onvervalste antisemiete: 'Joden, zoals alle middelmatige mensen, houden van Italiaanse muziek.' Een man als Richard Strauss, die het begrip antisemitisme ruimer zag, beklaagde zich vanuit het verre Egypte over 'die afstotelijke, domme, onnozele, luie en smerige Arabieren' die hem daar voor de voeten liepen. Er was altijd wel een minderheid voorhanden die zich ertoe leende de smerige vingers aan af te vegen, waarbij de joden (Karl Kraus, Otto Weininger) niet zelden nog jodenvijandelijker waren dan de niet-joodse landgenoten.

Niet Mahler. Hij was ook in dit opzicht onkreukbaar. In 1906 dineerde hij, samen met zijn Nederlandse collega Alphons Diepenbrock, bij Willem Mengelberg, zijn filiaalchef in de lage landen. Tijdens de maaltijd barstte Mahler met de hem kenmerkende hartstocht uit in een lofzang op de Japanners. 'Alles sei Schönheit bei ihnen, während man im Abendland sich die Nase zuhalten müsse, wenn man nach draussen komme.' Diepenbrock was het met hem oneens. Naar zijn mening kenden de Japanners uitsluitend een 'Kultur des Willens'. De arme man had een kleine week eerder, toen Mahler de Vijfde Symfonie dirigeerde, trouwens een 'afschuwelijke avond' gehad, lezen wij in de correspondentie van Diepenbrocks echtgenote Elisabeth. Dat lag niet aan Mahler, maar aan het feit dat de Diepenbrockjes 'in de onaangename nabijheid van enkele grijnzende jodinnen' hadden gezeten, 'hetgeen ons erg heeft afgeleid'.

Hoe katholiek Mahler inmiddels ook was geworden, hoeveel decibels hij ook investeerde in het klankrijk aanroepen van de 'Liebe Gott', de nazi's beluisterden in zijn symfonieën voornamelijk 'de bronstroep van het dier', vormgegeven in 'even monotone als opgeilende ritmes'.

Hij heeft evenmin hoeven meemaken hoe zijn vriend, de Duits-vriendelijke domkop Willem Mengelberg, hem verried. De dirigent werd in 1937, na een buitenlandse tournee, geïnterviewd door *De Telegraaf.* 'En nu wij over Mahler hebben gesproken,' zei Mengelberg, 'acht ik het goed dat u in uw krant mededeelt, dat men in Duitsland geen principieel bezwaar heeft om een compositie van Mahler in het programma op te nemen en dat men er mij zelfs om verzocht heeft.'

Ja, Mengelberg was pro-Duits, gaf hij ronduit toe. 'Sinds wanneer is het in Nederland een misdaad pro- of anti-iets te zijn?'

Dat ging zelfs Elly Bysterus Heemskerk, violiste en zijn levenslange vereerster, te ver. 'Zeker, tot 10 mei had ieder vrij Nederlander 't recht pro-datgene te zijn, waar hij zelf voor voelde,' schreef zij. 'Maar nu kan een goed Nederlander na datgene wat Duitsland ons heeft aangedaan dat niet meer zijn. Dit hele regime is op leugens gebouwd. Nazi is synoniem voor bruut geweld, woordbreuk, list en leugens. Niet voor niets heet ik Heemskerk, een naam die in onze geschiedenis geboekstaafd is.'

Het is een citaat uit de kladversie van de brief die zij aan Mengelberg wilde verzenden. Een definitieve versie is, voor zover bekend, nooit op de deurmat van het pand Van Eeghenstraat 107, de woning van de dirigent, beland.

Op zijn beurt heeft Mengelberg niet hoeven meemaken hoe Mahler ook na de oorlog nog lang in ongerede bleef. De duizend jaar nazipropaganda hadden hun effect gesorteerd. Theodor W. Adorno signaleerde in 1960 een nog steeds niet-aflatende 'Hass auf Mahler'. Simon Vestdijk constateerde, ongeveer terzelfder tijd: 'Over Mahler wordt nauwelijks nog geschreven en gediscussieerd. Men hoeft zijn oor maar bij de tot oordelen bevoegde vaklieden te luisteren te leggen om te weten dat hij in deze kringen heeft afgedaan.'

Totdat zich het wonder voltrok. Het gebeurde in de jaren dat de deconfessionalisering begon door te breken en de eredienst grotendeels werd afgeschaft. Het compositorisch hartenbloed van Mahler bleek voor velen een emotioneel en religieus – 'Aufersteh'n! Aufersteh'n wirst du!' – alternatief te zijn.

'Mijn tijd zal nog komen!' had hij geprofeteerd.

En zo geschiedde.

VI
KUNST & VLIEGWERK I

De naam van het paradijselijke eiland zal ik discreet verzwijgen, want wij toeristen houden niet van toeristen. De beroemdste bezoeker uit de insulaire geschiedenis was trouwens de Engelse dichter Rupert Brooke, die er in juni 1914 landde, prompt bloedvergiftiging kreeg en enkele dagen later stierf. Hij was jong (27), oogde als een Griekse god en zijn gedichten waren zo slecht nog niet. 'If I should die, think only this of me: that there's some corner of a foreign field, this is forever England.'

Het stoffelijk overschot werd in een plaatselijke wijngaard begraven en in de jaren dertig kreeg hij zijn standbeeld, tussen het Archeologisch Museum en de kapel van de Agia Triada. Het toont een jongeling in al zijn naakte heerlijkheid, door de dorpelingen met een mengeling van trots en Grieks-orthodoxe argwaan bekeken, en bij christelijke hoogtijdagen knopen zij een discreet doekje rond zijn lendenen.

Ik drink een glaasje op het terras van het dorpscafé en tuimel van mijn stoel van verbazing. Wie wandelen daar door de dorpsstraat? Het is achterneef R., voor vrienden en familieleden B., in het gezelschap van zijn vrouw L. Wij delen dezelfde overgrootvader en kennen elkaar voornamelijk van begrafenissen. Volgens de wetten van de kansberekening komt zo'n ontmoeting, op een half werelddeel afstand van thuis, eens op de miljard keren voor, constateren wij. Hoe kwam ons gesprek in vredesnaam op wijlen A. Viruly, de schrijver-vliegenier, alsof wij geen belangrijker problemen aan ons hoofd hebben? B. trof hem ooit – het moet in de jaren vijftig zijn geweest – in café Minkema te Bergen (N.H.), 'met zijn bekende, vooruitstekende tanden', lezend in *Een winter aan zee* van de plaatselijke dichter A. Roland Holst, terwijl de schrijver-vliegenier ondertussen weemoedig over het water staarde. 'Moe liep de wind te leuren, met lang verjaard verdriet.'

Maakt het voor het kunstgenot eigenlijk iets uit, vragen wij ons af, of je zo'n verzenbundel op lokatie leest, of domweg, driehoog achter, in de Dapperstraat?

Wij eten een hapje bij K., een Australische architecte, die in het weekeinde een restaurant beheert. Daarnaast is zij amateuractrice die twee dagen later een rol zal spelen tijdens de dress rehearsal van een toneelstuk van Anton Tsjechov. Nee, het betreft niet een van zijn klassieken, het betreft een Nieuw-Griekse bewerking van een van zijn korte verhalen, al weet zelfs K. niet welk. De voorstelling vindt plaats in het gymnastieklokaal van de lagere school ten overstaan van vijf rijen klapgrage tien- tot twaalfjarigen. Wij zien een dame. En een dienster. En een vent in een sjamberloek die als door de duivel bezeten door de huiskamer springt, met een kussensloop rond zijn kaken gestrikt. Er is geen woord van te verstaan, behalve het woord wodka, dat in de Russische literatuur geen zeldzaamheid is. Welk kort verhaal mag het zijn? Stom om op reis te gaan zonder die vertrouwde complete Tsjechov tussen de vakantiekleding.

Dino, advocaat in ruste, viert zijn verjaardag met zowel een complete kreeft als enige glazen huisvervaardigde wijn. Ken ik Baudelaire? 'Niets kan de trage duur der jaren ervaren, als onder het zware dons van besneeuwde jaren.' Spleen! verduidelijkt hij. Als tegenprestatie citeer ik het gelijknamige gedicht van onze landgenoot Godfried Bomans: 'Ik zit mij voor het vensterglas, onnoemelijk te vervelen. Ik wou dat ik twee hondjes was, dan kon ik samen spelen.' Onze gastheer luistert geduldig toe, maar maakt verder de indruk dat de faam van de Haarlemse schrijver nog niet tot zijn eiland is doorgedrongen.

De Volkskrant, via de veerboot aangevoerd, verzorgt met een dag vertraging de communicatie met het vaderland. Zendt de Nederlandse omroep nu óók al, naast al dat andere, het complete wereldkampioenschap hockey uit? Hockey, het is een vrijetijdsbesteding waaraan ik, voornamelijk om sociologische redenen, een pesthekel heb, een afkeer die ik deel met Nico Scheepmaker, die bij leven en welzijn toch een oprecht sportliefhebber is geweest. Maar van hockey ('Vooruit Ronald-Wouter, druk een punt!') moest ook hij niets hebben. 'Dat hockey met een stokkie wordt gespeeld, en iedereen zich daarbij dood verveelt, is, dacht ik, nu wel algemeen bekend, al is het een gedachte die nooit went.'

Wij drinken andermaal een glas, nu in een tegen de berghelling vastgeplakt café met uitzicht op de hemelsblauwe zee. Daar komt de Lykomidis aangedobberd, vernoemd naar de moordenaar van Theseus. Geen moraliserend gezeur, alsjeblieft, het is inmiddels meer dan drieduizend jaar geleden en Theseus, op zijn beurt de moordenaar van Periphetes, was ook zo lekker niet. De Lykomidis maakt aanstalten in het haventje aan te meren. Dan schalt, blijkbaar als welkomsgroet, Richard Strauss' symfonisch gedicht *Also sprach Zarathustra* over het water, in de interpretatie van de Berliner Philharmoniker onder leiding van Herbert von Karajan.

In het vliegtuig serveert men, behalve een smakelijke omelet, het *Algemeen Dagblad.* Denk niet dat deze sterk onderschatte krant niets aan cultuur doet! 'Gerard Reve schreef al eens in een gedicht dat er vroeger in Nederlands-Indië in de hal van het onderkomen van menige plantage-eigenaar voor ieders gebruik altijd flessen koele jenever en bier stonden.' Met alle respect voor de belezen *AD*-verslaggever, het gedicht is slordig naverteld. Het betreft het vers 'Tempo Doeloe', opgedragen aan 'de jonge Indische Nederlander R.' en er is sprake van bier noch van 'menige plantage-eigenaar'. In werkelijkheid stond die jenever in de hal van de betere hotels, 'tot vrij gebruik door alle gasten, als water, gratis en voor niets'. Verzucht de oudoom van de dichter ten overstaan van zijn neefje: 'Ach venteke, toen was nog niets voorgoed bedorven. Inlanders wisten hun plaats, je hoorde niets van onruststokers.'

De letterlijke weergave van dit gedicht ontleen ik niet aan mijn goede geheugen, maar aan mijn boekenkast. Ik zet Reves complete poëzie weer op de plank en raadpleeg vervolgens Tsjechovs complete verhalen. Het lijkt, met zijn vierentwintighonderd bladzijden, onbegonnen werk de bron van het toneelstuk te traceren dat wij vier dagen geleden hebben gezien. Het enige dat ik me van de voorstelling herinner, is die vent met een doek rond zijn kaken en de dienster die in het Nieuw-Grieks om wodka riep. Dan stuit ik op het verhaal 'Kiespijn'. Het is de kiespijn van Sergej Aleksejitsj Dybkin, de bekende amateurtoneelspeler. 'Het lijkt wel of de duivel zelf met al zijn Satansgebroed zich in zijn kies genesteld heeft.' Radeloos, met beide handen aan zijn rechterwang, rent hij de kamer door. 'Maar help mij dan toch!' smeekt hij, met zijn voeten stampend. 'Ik schiet me een kogel door het hoofd, verdomd!' De keukenmeid verschijnt, die hem medelijdend adviseert zijn gemartelde mond met wodka te spoelen.

Waarachtig! Bewijs geleverd! Het is al met al een cultureel weekje geweest, en van een beetje zon is trouwens nog nooit een mens doodgegaan.

Het was een merkwaardig weekeinde waarin plotseling de neuzen over mij heen tuimelden.

Het begon met een vraaggesprek in de *Vara-gids* met de actrice/zangeres Ellen Pieters. 'Op m'n tiende,' vertelde zij, 'heeft mijn moeder mij meegenomen naar Cyrano de Bergerac, met Ko van Dijk. Dat heeft een enorme indruk op me gemaakt.'

Cyrano! De dichter! Met die enorme neus! De hartverscheurende billets doux die de man aan zijn geliefde Roxane schreef, nota bene ten faveure van zijn rivaal… Die sterfscène waarin eindelijk – te laat! – de ogen van die stomme trut opengaan… Diep getroffen zat ik als jongetje in Carré, terwijl het vocht mij uit neus en ogen stroomde, al werd de titelrol in mijn voorstelling niet door Ko van Dijk maar door Guus Hermus gespeeld. Het is het mooiste stuk van het Franse toneelrepertoire. Een paar dagen na de première publiceerde Emile Zola zijn artikel 'J'accuse!' waarin hij een lange neus tegen de militairen maakte.

In hetzelfde weekeinde schreef ik een stuk over Edward Lear (1812-1888), de landschapschilder, die uiteindelijk de geschiedenis is ingegaan als de uitvinder van het nonsensvers in het algemeen en de limerick in het bijzonder. Daarin schetste hij de vijfregelige gebeurtenissen van menige 'young lady', uit Prague hetzij The Hague, en menige 'old man', uit Buda hetzij Vienna.

De negentiende eeuw was geen tijd voor geslachtelijke spotternijen, iets waarvoor de limerick zich bij uitstek leent. Dus behielp Edward Lear zich met het plaatsvervangende genitaal, de neus.

There was an Old Man with a nose,
who said: 'If I choose to suppose
that my nose is too long,
you are certainly wrong!'
That remarkable man with a nose.

There was a Young Lady whose nose
was so long that it reached to her toes;
So she hired an old lady
whose conduct was steady
to carry that wonderful nose.

There was an Old Man whose nose
most birds of the air could repose;
But they all flew away
at the closing of day
which relieved that Old Man and his nose.

Als achtergrondmuziek draaide ik Händels *Julius Caesar*, de opera waarin de Egyptische koningin Cleopatra een belangrijke bijrol speelt. Zij is verliefd. 'De liefde heeft mij tot een plan geïnspireerd,' zingt zij, 'dat ik in de praktijk denk te brengen. Met mijn magische krachten hoop ik de man te winnen, aan wie ik mijn hart heb verloren. Hij moet en zal voor mij door de knieën gaan.' De vorstin was voorzien van 'een neus als een vishaak', hetgeen overigens voor Julius Caesar noch (later) voor Marcus Antonius een bezwaar is geweest.

Dezelfde week gaf ik een lezing in de stadsbibliotheek van Haarlem. Na afloop legde een bezoeker mij ter tekening een boekje voor dat ik ooit over biografieën en autobiografieën heb geschreven. Daarin komt de biografie ter sprake die Vladimir Nabokov over

Nikolaj Gogol heeft geschreven, de auteur van de fameuze novelle *De neus*. Waarom speelt de neus zo'n belangrijke rol in Gogols oeuvre? Omdat Gogols eigen neus zo abnormaal lang was? 'Welnee,' zegt Nabokov, 'de neus heeft in de Russische samenleving nu eenmaal een specifieke plaats. Wij Russen zijn blij-neuzig of droefneuzig. Het vuurwerk van toespelingen op de neus in de beroemde scène in Rostands *Cyrano de Bergerac* is niets vergeleken bij de honderden Russische spreekwoorden en gezegden die met de neus verband houden. Wij laten hem terneergeslagen hangen, we heffen hem trots, iemand met een slecht geheugen krijgt de raad er een keepje in te kerven en als iemand een gevecht verliest, veegt zijn tegenstander hem de neus af.'

Bij de zaterdagpost: het boek *De neus van Frederik van Eeden*, een beschouwing over de betekenis van reuk en geur in zijn werk, geschreven door prof. dr Th.R. Wentges. De kunstenaar, schepper van het reuk- en rookvrije Walden, was altijd verkouden, getuige onder meer de brief die hij op 13 januari 1895 aan Lodewijk van Deyssel schreef: 'Amice, het is geen onwil, geen luiheid, geen vrees voor sneeuw, mederedacteurs of andere contraire elementen, maar een reuzenverkoudheid (catharrus ingens s. giganteus) die mijn komst belet. Met een plechtstatige en bedachtzame traagheid is dit monster de gewelven van mijn reus rondgetrokken, een dag de achterwand, den volgende dag de rechterzijde, den daarop volgende de linkerzijde van dat orgaan inwendig met scherpe haakjes bearbeidend, op den middag van den vierden dag noode het werk stakend, daartoe door de afwezigheid van meerdere neuzen genoopt.'

Van Eedens hoofdwerk was de roman *De kleine Johannes* – 'An die Nase eines Mannes kennt man sein Johannes' (Duitse volkswijsheid). De neus heeft zo'n beetje de reputatie van eigenwijsheid en lichte belachelijkheid, maar in wezen is dit sterk onderschatte orgaan voor de mens even belangrijk als hart en lever.

Is er de laatste jaren ooit iets positiefs over het hoorspel geschreven? Ik herinner mij niets anders dan ravengekras, schimpscheuten en doodsklokgebeier. 'Hoorspelkern ten prooi aan bezuinigingen.' 'Overlevingskansen literaire hoorspelen lijken gering.' Het allerlaatste hoorspel is inmiddels uitgezonden, voorafgegaan door de Open Brief van de radiomakers Marlies Cordia (Humanistische Omroep) en Leonore van Prooijen (NCRV). 'Het hoorspellandschap ziet er kaal en onherbergzaam uit. Gieren cirkelen in de lucht, want in deze woestenij ligt een schitterend radiogenre een langzame, stille dood te sterven,' constateren zij. 'Wij beseffen maar al te goed dat wij roependen in de woestijn zijn. Dat het de tijd er niet naar is om een lans te breken voor het hoorspel. Maar om het hoorspel de nek om te draaien zonder een kik te geven, gaat ons te ver.'

Geen blad heeft zich bewogen. Geen omroepbestuurder die zich het lot van het hoorspel heeft aangetrokken.

Simon Carmiggelts dichtbundel *Fabriekswater* (1956): 'Met ons Oranjehuis leefde zij innig mee. De radio liet zij maar zelden onbeluisterd. O, menig hoorspel heeft haar blik verduisterd. Dan viel er soms een traantje in haar thee.'

Inderdaad, door al die jaren heen is het hoorspel geassocieerd met onbestorven weduwen, worteldoeken, breiende blauwkousen en het stilstaand water van de jaren vijftig. Het was het exclusieve domein van Jan Borkus, Paul van der Lek, Fé Sciarone, Huib Orizand, Nel Snel, Dogi Rugani en Frans Somers, het geheel onder de beproefde regie van Kommer Kleijn.

Daar werd door honderdduizenden mensen naar geluisterd. 'Inderdaad,' zei Kommer Kleijn, 'vroeger waren we de heersers van de ether, en dat is dus niet meer zo.'

Allemaal de schuld van… van wie of wat eigenlijk? De tijdgeest? De televisie? Maar in landen als Duitsland en Groot-Brittannië, naties met een bloeiende hoorspelcultuur, staat inmiddels ook een televisietoestel in menige huiskamer. In Nederland werd je daarentegen als een zonderling beschouwd als je bekende regelmatig het hoorspeluur te agenderen. Een bevredigende verklaring voor de polderlandse hoorspelvijandigheid is niet voorhanden. Zelfs de enige wetenschappelijke studie over dit onderwerp (Ineke Bulte, *Het Nederlandse hoorspel*, 1984) maakt ons niet veel wijzer. Zij heeft gelijk, de Nederlandse hoorspelschrijver wordt slecht betaald. Net als trouwens de Nederlandse toneelschrijver, romancier en essayist, om over de Nederlandse dichter maar te zwijgen. En het genre is lang het exclusieve terrein geweest van verzuilde vierderangsauteurs, die het primaire doel hadden de levensbeschouwing van de omroep hunner keuze uit te dragen.

Allemaal waar, althans waar geweest. In de praktijk is het Nederlandse hoorspel kwalitatief opgewaardeerd, met name door ervaren en geestdriftige regisseurs die rustieke monodrama's als *De overwinning van dominee Balkema* en *De Geuzenvlag op de Toren* al tientallen jaren zijn ontgroeid. Het ging zelfs zover dat de oudgediende aller oudgedienden, voornoemde Kommer Kleijn, begon te klagen dat het genre inmiddels 'te hoogdravend, te intellectueel' begon te worden, met die complete *Anton Wachter*-romans en de Dialoog in de Hel, gevoerd door complexe denkers als Niccolò Machiavelli en Charles de Secondat, baron de la Brède et de Montesquieu.

Zelf was ik een gretige afnemer, en niet uit dédain jegens de televisie of omdat ik te lui zou zijn om af en toe een boek te lezen. Het hoorspel is een nobele, solitair te genieten kunstvorm die beter verdient dan te worden geofferd op het altaar der luistercijfers. Het fundament van het hoorspel, schreef ooit iemand, is 'de spirituele reinheid van de menselijke stem'. Vandaar dat het vervaardigen van hoorspelen een vak apart is. Hoe zet je een schurk op het toneel? Dat vergt geen bovenmatige inspanningen. De betreffende acteur heeft zijn tekst, zijn uiterlijk, zijn wijze van agiteren, zijn souffleur en de mevrouw van de grime tot zijn beschikking, terwijl zijn collega van de hoorspelkern zich enkel en alleen met het gesproken woord moet behelpen.

Heere Heeresma, *Bevind van zaken* (1962): 'Behaaglijk lag hij achterover in de kussens en knipte de schakelaar van de radio aan. Een hoorspel deze keer. Muziek bracht een onheilsboodschap, gelijk met voetstappen, dichtgeworpen deuren, hol als een kazerne.

"Een ellendig bericht, Smith. Heb je wel eens gehoord van een zekere Greenburry? Parklane zeven?"

"Sir Greenburry, sir? De grote Dickenskenner?"

"Juist, Smith, die. Hij is vermoord. Op een ellendige manier."

Het vermocht hem niet te boeien. Hij draaide nog wat lusteloos langs de zenders en knipte toen de radio uit.'

Er is in het verleden door de dames en heren hoorspelmakers ongetwijfeld veel gemakzuchtig oorsmeer de ether ingestuurd. Daar staat dan weer het prachtige en inventieve vierluik tegenover dat Peter te Nuyl heeft gemaakt rond de dood van Socrates, de bederver van de Atheense jeugd die daarom tot die fatale beker dollekervel werd veroordeeld. Het was een soort frontverslag uit de gevangenis, waarin Socrates zijn vrienden en vijanden tot de laatste snik met zijn wijsgerige spitsvondigheden bleef bestoken. Gedragen door een topbezetting. Nic Brink speelde de titelrol. Theo Joekes was Meno. Jaap van der Scheur was Anytus. Ischa Meijer speelde Aristophanes. Johan Polak was Charmides. Adriaan Morriën was Agathon. Margreet Dolman was Diotima. Zelf speelde ik Critias. Ik hoor mijzelf nog kraaien, in die tijdelijk tot studio vertimmerde kerk aan de Amsterdamse Herengracht: 'Daar heb je het weer, Socrates! Je probeert mij te examineren en de kern van de bezwaren ga je uit de weg! Die hele redeneertrant van jou leidt ons uitsluitend in een filosofisch moeras!'

Ik weet, bij Zeus, niet hoeveel mensen ernaar hebben geluisterd. Zeg vijftigduizend. Dat is de volgeladen Amsterdam Arena. Misschien waren het er slechts tienduizend. Dat is nog altijd tienmaal de capaciteit van de Amsterdamse Stadsschouwburg. Het liquideren van het hoorspel scheelt een paar ton op de omroepbegroting. Dat komt neer op een percentage achter de komma als men dit relateert aan de transfer van een voetballer of de aankoop van een tamelijk beroemd schilderij. Ik weet dat ook zonder het hoorspel best te leven valt. Niettemin, de rigoureuze wijze waarop deze kunstvorm inmiddels naast het gebleekte gebeente van Socrates, Paul Vlaanderen, Simon Vestdijk en Monus de Man van de Maan is bijgezet, bevalt mij niets.

De man in het voorportaal van de Naardense Grote Kerk is in goed-
gewassen vodden gekleed.

'Gun de daklozen een Goede Vrijdag!' roept hij, een stapel blaadjes onder zijn arm geklemd.

Ik was er nog nooit geweest, voor mij overigens geen reden om
geen pertinente mening te hebben over de meest succesvolle van
alle vaderlandse *Matthäus-Passions,* een societygebeurtenis voor de
mensen die met twee woorden spreken, gepensioneerde politici,
aangetrouwde pseudo-prinsen en millionenschwere industriëlen.

Nu ging ik het eindelijk met eigen oren horen en met eigen ogen
zien,

Zien is overdreven. Zien doe je in Naarden alleen als je lid van
het kabinet bent en op de eerste rij mag zitten. Een kerk is geen
concertzaal. Dus driekwart van de bezoekers is visueel gehandi-
capt, een ongemak waaraan door het aanbrengen van monitoren
werd tegemoetgekomen. Zelf zit ik, kerkarchitectonisch gezien, in
het koor, met uitzicht op tweeënhalf achterhoofd van de Nederlandse Bachvereniging, die verantwoordelijk is voor het muzikale
deel van de middag. Voorlopig heb ik alleen oog voor de bezoekers. Keurig, inderdaad! De heren zijn haast even stemmig gekleed
als ik. De vrouwelijke bezoekers hebben de weg naar modehuis
Pauw weten te vinden, met knoopjes en vestjes en rokken tot over
de knie, de risicoloze chic die flink in de papieren pleegt te lopen.

Moeder neemt plaats naast dochter. Keuriger dan keurig! 'Mam,
moet ik echt na de pauze blijven?' vraagt de dochter. Waar zijn
trouwens Gert-Jan Dröge en zijn team? En waar zijn Bachs Naardense plaatsgenoot Jan des Bouvrie en zijn charmante Monique?

Toch duurt het nog tot de sopraanaria *Ich will dir mein Herze schenken* voordat de eerste mobiele telefoon overgaat. Vanaf mijn plaats is de dader onzichtbaar. Het moet iemand van vrouwelijke origine zijn, want het dertig eindeloze seconden durende getwiet duidt op een radeloos doorwoelde damestas. De dirigent onderbreekt de uitvoering en geeft de bezoekster beleefd de gelegenheid haar apparaat uit te zetten. Dan is weer het woord aan de Harp des Heeren, Johann Sebastian Bach. De solisten verdrinken enigszins in de holle ruimte. Er wordt excellent gemusiceerd. Zelden heb ik zo'n fraaie Christus gehoord, ernstig, waardig, toornig en bedroefd. Ons hart bloedt. Wij weten wat die arme jongen straks in het tweede deel van Bachs operatorium zal moeten doorstaan. Dan geeft Judas hem zijn judaskus en is het absolute hoogtepunt van de dag aangebroken.

De pauze.

De pauze van de *Matthäus-Passion* te Naarden duurt anderhalf uur. Dat is ongewoon lang, maar het decoratieve stadje beschikt over een groot aantal horecagelegenheden waarin op niveau dient te worden geluncht. En daarna wordt er langs de boetiekjes gewandeld.

Op de brug bij het restaurant van Paul Fagel passeert een rouwstoet van stemmige Mercedessen. De auto met de kist maakt een linkse draai. De kraai achter het stuur heeft waarachtig óók zo'n eigentijdse gsm aan zijn oor: 'Heus, vrouwtje, het is het laatste lijk van vanmiddag geweest. Nog even geduld. Dan kom ik gezellig koffie bij je drinken.' Aan de overkant van de brug bevindt zich het hoofdkwartier van de omnipotente Jan des Bouvrie, de man die Nederland van het donkerbruin naar het wit heeft gebracht, zij het niet geheel gratis. De eetkamertafel model 6480 kost f 3455, de fauteuil Biberdom f 8240.

Twee jongemannen laten achteloos een blik langs het gemeubelte glijden. 'En toch vind ik Wagner leuker dan Strauss,' zegt de een op de pertinente toon van iemand die niet wenst te worden tegengesproken.

Je denkt het werk na 241 voorstellingen enigszins te kennen, terwijl er in werkelijkheid altijd weer iets nieuws valt te ontdekken. Hoe was het in godsnaam mogelijk dat het mij nooit is opgevallen dat Christus in deel twee nauwelijks aan het woord komt? Er wordt wat eenzijdig getwist met de hogepriester, 'Aber Jesus schwieg stille'. De stadhouder Pontius Pilatus vraagt hem of hij nu wél of niet de Koning der Joden is. 'Du sagest's...' zegt de arrestant dubbelzinnig. Dan gaat Christus drie volle kwartieren woordeloos op zijn krent zitten, om zich pas weer te verheffen bij het 'Eli, Eli, lama sabachthani?', de smartelijkste woorden uit de geschiedenis der mensheid. Maar voor de rest gebeurt er na de pauze eigenlijk niet zoveel met de Zoon van God, behalve dat hij wordt bespuwd, geslagen, gepest, vernederd en uitgescholden, en wordt gedwongen met hangend hoofd de Via Dolorosa te betreden, richting Golgotha, waar hij uiteindelijk zal worden gekruisigd.

Het drama laat geen der toeschouwers in Naarden onberoerd, christenen en niet-christenen, de nette mensen en de iets minder nette mensen. Ik realiseer me opeens: al het multiculturele activisme ten spijt is deze *Matthäus-Passion* een honderd procent blanke aangelegenheid, of laat ik het veiligheidshalve op 98,8 procent houden, omdat het tenslotte niet valt uit te sluiten dat er ergens in de kerk, achter een pilaar, een driekwart Surinamer verscholen zit.

Wij zijn net de avondfile voor, zodat ik stipt op tijd ben voor de tweede *Matthäus-Passion* op deze Goede Vrijdag, die van de Amsterdamse maatschappij Toonkunst in het Concertgebouw. Daar ben ik andermaal getuige van het openingskoor *Kommt, ihr, Töch-ter, helft mir klagen...* Iets beters – God is mijn getuige – is nooit gecomponeerd. Het is dus mijn 242ste voorstelling van Bachs ora-torium. Zal ik de 250 nog halen? Dan krijgt de hele Grote Zaal van mij een plakje paasbrood.

VII
MAATSCHAPPELIJK MENGELWERK I

Het begrip 'politiek correct' is overgewaaid uit de Verenigde Staten, even nadat daar was besloten dat negers voortaan zwarten zouden heten. Omdat dit woord nog te veel naar de tabaksplantages rook, heten zij inmiddels kleurlingen of gekleurde medemensen.

Behalve de gekleurde medemens waren het vooral de vrouwen die van de terminologische verbraving profiteerden. Mankracht werd menskracht, de directrice werd een directeur, manhaftig werd menshaftig, de voorzitster werd een voorzitter, terwijl de mandekker, de mandarijn, het mangat en het manwijf om uiteenlopende redenen vooralsnog werden gespaard.

Men ziet, Martin Luther King en Aletta Jacobs hebben niet voor niets geleefd.

De reactie op al die politieke correctheid was een stormvloed aan politieke incorrectheid, in de praktijk gebracht door met name columnisten en tv-komieken, zegt Anil Ramdas in NRC *Handelsblad*. Wie waagt het in de spraakmakende milieus zich nog politiek correct te gedragen? 'In Nederland is het etiket van politieke correctheid ongeveer de ondertekening van een intellectueel doodvonnis.' Dankzij de werkzaamheden van het 'geheime tribunaal' in de wandelgangen van de mediaredacties wordt ook Ramdas inmiddels tot de 'politiek correcte braveriken' gerekend, klaagt hij. Omdat dit een beletsel is om tot 'de wereld van glitter en glamour' te worden toegelaten, belooft hij in de toekomst flink te gaan schelden op moslimhonden, profiterende asielzoekers en smerige nichten. Ook zal er menige schokkende opinie worden geponeerd en menige zielepoot worden afgezeken.

Hij noemt de politiek incorrecte elite met naam en toenaam: 'Theo van Gogh, Gerry van der List, Theodor Holman, Ron Kaal, Jan Mulder, Max Pam, Maarten van Rossem, Bart de Graaf, Joost, Leon, Carlo, Bo, Wim, Dirk, Menno, Elsbeth en Maria.' Het is een opsomming die documenteert dat Ramdas, tegen zijn gewoonte in, de grenzen der redelijkheid uit het oog heeft verloren. Natuurlijk, Van der List is de man van dat stukje over die blotemannenbillenshow door de Prinsengracht, een stukje dat in burgermansogen inderdaad tamelijk politiek correct was. Maar Mulder heb ik nog nooit op asielzoekers horen schelden en als Pam ooit zielepoten heeft afgezeken, moet dit in het *Schaakbulletin* zijn geweest, terwijl Elsbeth...

Wie Bo en Carlo zijn weet ik niet, maar Elsbeth is ongetwijfeld Elsbeth Etty, de zaterdagse rubriciste in NRC *Handelsblad.* Zij heeft een aantal van haar beschouwingen gebundeld. Hoe is zij in het bovengenoemde gezelschap van politiek incorrecten terechtgekomen? In de slotbijdrage aan haar boek neemt zij juist de organisaties als het Meldpunt Discriminatie in bescherming, instellingen waar geschoffeerde kleuringen, homo's, joden en christenen hun klachten kunnen deponeren. 'Niemand wil een censor, een morele politie of een gewetenshezbollah,' schrijft Elsbeth Etty. 'Maar dat er meldpunten bestaan waar mensen hun grieven kwijt kunnen en advies vragen, is wel een rustgevend idee. Dan maar politiek correct.'

Is het keurig of niet?

Zo keurig dat diezelfde Elsbeth Etty vervolgens in *HP/De Tijd* tot de grond is afgebroken omdat haar 'journalistieke betrokkenheid' in werkelijkheid journalistieke bekrompenheid zou zijn, berichten uit een samenleving vol goede linksen en slechte rechtsen, slechte mannen en goede vrouwen. 'Iedere Etty-column valt bij voorbaat in te vullen.' Het is een gewaagde stelling waarvoor vrij weinig bewijsmateriaal werd aangedragen, maar die past in het beeld dat ook Anil Ramdas, mét alle overdrijving, schetst: vroeger deed schelden zeer, tegenwoordig geldt het in sommige kringen als een bewijs van goed gedrag.

Eerlijk gezegd was die omslag van politieke correctheid naar politieke incorrectheid mij ontgaan. Dat er sprake is van een zekere verbale verruwing, met name tegen minderheden, weet ik des te beter, al dacht ik dat dit verschijnsel voornamelijk beperkt blijft tot taxichauffeurs en gedrogeerde kroegtijgers. In mijn naïviteit verkeerde ik verder in de veronderstelling dat de term 'politieke correctheid' betrekking had op dat soort politici dat nooit iets bijzonders zegt, hierbij in de rug gedekt door dat soort politieke commentatoren dat nooit iets bijzonders schrijft.

Politiek incorrect, het waren (en zijn) voor mij degenen die zich door niets of niemand een voorgekookt standpunt laten dicteren. Sebastian Haffner bijvoorbeeld, de Duitse dwarsdenker. Beroemd geworden door zijn boek over Hitler, twintig jaar geleden naar Amsterdam afgereisd om zijn boek over Churchill te introduceren, bij welke gelegenheid hij voornamelijk over Stalin sprak, op een wijze die men op zijn minst verfrissend kon noemen. 'Stalin was, in tegenstelling tot Hitler, een uiterst geslaagd staatsman,' zei Haffner. 'Ook hij was een misdadiger, hij was voor Europa een ramp, maar Rusland had eigenlijk geen beter politiek leider kunnen wensen. Rusland was, toen Stalin de macht overnam, in feite een puinhoop, ten gevolge van zowel de burgeroorlog als de wereldoorlog. En toen Stalin stierf, liet hij een wereldmacht achter. Stalin voerde, vanuit zijn gezichtspunt gezien, een heel verstandige buitenlandse politiek. Misschien was zijn binnenlandse politiek wat minder geslaagd, misschien heeft hij het moorden enigszins overdreven, wellicht heeft hij meer mensen om het leven gebracht dan in zijn belang was. Maar men kan hem niet in één adem met Hitler noemen. Hitler voerde niet alleen een schrikbewind, hij was bovendien een massamoordenaar die behagen schiep in de systematische vernietiging van joden en zigeuners. Dat kan men van Stalin niet zeggen. Als hij mensen liquideerde, was dat zelden moord omwille van de moord. Hij heeft wellicht wat al te veel trotskisten een kopje kleiner laten maken, maar dat hij met de trotskisten afrekende was – vanuit zijn gezichtspunt gezien – een daad van staatsbelang, zonder erbarmen, maar niet zonder verstand.'

Het politiek correcte denken zegt: Stalin was een schurk. De politiek incorrecte Sebastian Haffner nuanceerde deze opvatting, zoals hij ook in actuele binnenlands-politieke vraagstukken nooit vanzelfsprekende standpunten innam. Het is een manier van denken die steeds zeldzamer lijkt te worden in een maatschappij waarin de politieke discussie steeds meer verschraalt tot de wereld van lonen en prijzen. Daar wordt al jaren over geklaagd, zodat het althans mij niet zoveel verwondert dat er mensen zijn die zich, verstikt door al die slaapverwekkende voorspelbaarheid, inmiddels bezondigen aan allerlei incorrecte grappenmakerij die wij eigenlijk ten strengste af moesten keuren.

Dat is in de praktijk niet zo gemakkelijk als het lijkt. Een mop, gepubliceerd in *HP/De Tijd.* Vraag: 'Waarom moet een Surinaamse nooit met een Marokkaan trouwen?' Antwoord: 'Omdat ze kinderen krijgen die te lui zijn om te stelen.' In hoge mate politiek incorrect. Discriminerend én stigmatiserend. Beledigend voor twee bevolkingsgroepen tegelijk. Voer voor het Meldpunt Discriminatie. Wél tamelijk geestig, het is zonde dat ik het zeg.

De onthutsendste scène in het portret dat Gerard van Westerloo in
NRC *Handelsblad* van de PvdA-Tweede-Kamerfractie heeft gemaakt,
vond ik het collectieve afschieten van Thanasis Apostolou.

Het geschiedde op de vergadering waarin het wetsontwerp over
euthanasie werd besproken. Wie klaagt er over de kleurloosheid
van de Partij van de Arbeid? Aan de rand van de groeve zijn de dames en heren sociaal-democraten zo principieel als de pest. Behalve
als het om het beginsel gaat een afwijkend standpunt in te nemen.
Zo ondervond Apostolou, Griek van geboorte, die in de veronderstelling verkeerde dat men in het vrije Nederland, anders dan onder het Griekse kolonelsbewind, mag zeggen wat men wil. Jazeker,
dat mag, behalve in de kamerfractie van de Partij van de Arbeid.
Daar werd de potentiële dissident het vuur zo na aan de schenen
gelegd dat hem op een gegeven moment het huilen nader stond
dan het lachen.

Apostolou moest als soldaat in het Griekenland van de kolonels,
zei hij na afloop tegen de verslaggever, 'Leve de revolutie!' roepen
en heeft daar nog steeds spijt van. Zou hij nu, in het vrije Nederland, tegen zijn geweten in moeten stemmen?

Dus hij volhardde in zijn afwijkende standpunt, tot wilde woede
van menige collega-parlementariër die snerend sprak van 'die lariekoek over het geweten'. Het is een interessante onthulling te midden van veel andere interessante onthullingen: in de moderne sociaal-democratie wordt een beroep op het geweten als 'lariekoek'
beschouwd.

'Nee,' zei Thanasis Apostolou een dag na de stemming, 'ik denk
niet dat ze me de volgende keer hoog op de kandidatenlijst zullen
zetten.'

Het speelde zich af in het najaar van 2000, toen de voorzitterscrisis in de Partij van de Arbeid op zijn hoogtepunt was. Het drama is in de drie weken dat Van Westerloo zich vrijelijk onder de fractieleden mocht bewegen, zo te lezen niet ter sprake gekomen. Het interesseert de dames en heren volksvertegenwoordigers blijkbaar niet wat er elders in hun partij wordt gedacht en bedacht. Twee man maken de dienst uit: Wim Kok en Ad Melkert. De fractie bestaat uit stemvee. Het partijbestuur wordt geacht aan de leiband te lopen. De leden hebben de status van donateur zonder enige zeggenschap. De min of meer kritische partijbladen zijn opgeheven. Externe kritiek in dag- of weekbladen wordt met schouderophalen ('Ach, dat mens') afgedaan. De voertaal is 'beleids-Esperanto', als je maar genoeg 'doorakkert' en 'afvinkt' word je vanzelf staatssecretaris van Justitie en als je ook maar een millimeter van de fractielijn afwijkt, krijg je Sharon Dijksma op je afgestuurd. Het is Brezjnev aan de Hofvijver. Het is het puurste democratisch-socialistische centralisme. Zelfs de CPN in haar meest stalinistische jaren was een wonder van openheid en flexibiliteit, vergeleken met de Partij van de Arbeid van thans.

Sharon Dijksma is de hofhond van het regime Kok-Melkert. In de kwestie-Apostolou was zij er 'helemaal niet aan toe' iemand ruimte voor een tegenstem te geven. Eén keer dreigde zij voor de microfoon iets afwijkends te zeggen over de studiefinanciering. Net op tijd werd zij door collega Tineke Netelenbos de fractiekamer binnengerukt. Zij was door Kok en Melkert uitverkoren om, als opvolgster van de weggeïntrigeerde Marijke van Hees, voorzitter van het PvdA-bestuur te worden.

Hier overspeelden Kok en Melkert hun hand. Want de irritatie onder het PvdA-kader over 'de dominante Haagse kliek' is groot, zodat het niet waarschijnlijk leek dat iemand die hiervan duidelijk

een representante is, met unaniem gejuich zou worden binnenge-
haald, te meer omdat haar verkiezingsprogramma slechts vier letters omvatte. Zij wil de PvdA weer 'leuk' maken. De PvdA? Leuk?
Alles is mogelijk in de Nederlandse politiek. De Partij van de Arbeid die met aartsvijand VVD coalieert. De ChristenUnie die zich
sociaal gezien plotseling links van de sociaal-democratie posteert.
GroenLinks dat straks met het CDA in een centrum-linkse regering
gaat zitten. Maar een Partij van de Arbeid waarin het 'leuk' is behoort, partijgenoten, helaas tot de onmogelijkheden, zelfs als Youp
van 't Hek op elke PvdA-fractievergadering de volksvertegenwoordigers met een pleeborstel onder de sociaal-democratische oksels
zou kietelen.

De tegenkandidaten van Sharon Dijksma waren merendeels
mensen die het betreuren dat de Partij van de Arbeid tot een 'uit-
zendbureau voor kamerleden en een reclamebureau voor de lijst-
Kok' is getransformeerd. Deze kwalificaties zijn afkomstig van Bart
Tromp, hoofddocent politieke wetenschappen in Leiden en verklaard tegenstander van een politiek waarin de kiezers eerst met een
fraai' beginselprogramma' worden gepaaid, waarna deze beginselen
onmiddellijk op het altaar van de macht worden gemassacreerd. Hij
heeft zelf een paar jaar deel uitgemaakt van het PvdA-bestuur en
denkt daaraan met weinig genoegen terug: 'Het partijbestuur is
eigenlijk de meest oligarchische, inefficiënte club waar ik ooit in heb
gezeten' (Tromp in 1983). Niettemin, daar kan iets aan veranderen.
'Er moet een goede voorzitter komen die het als zijn taak beschouwt,
niet om de een of andere "clique" te vertegenwoordigen, maar om
de partij op een behoorlijke manier te leiden zonder dat-ie zijn eigen
voorkeur daar te veel in laat meespreken. Een volstrekt neutrale
voorzitter is niet mogelijk en ook niet nodig, het gaat er maar om
dat-ie de politiek van de partij via formele kanalen zo openbaar en
controleerbaar mogelijk maakt' (Tromp in 1978).

Een kleine kwarteeuw later kandideerde Bart Tromp zichzelf. Het leek een ongelijke strijd. Hij had alles tegen: hij is een intellectueel die boeken leest en schrijft, hij heeft op een hinderlijke manier altijd gelijk, zijn onbeteugelde tong is niet geneigd om welke partijgenoot ook te sparen. Hij vindt fatsoenlijk denken belangrijker dan politiek zaken doen. Bovenal wil hij de Partij van de Arbeid niet 'leuk' maken, maar hertransformeren tot een serieuze politieke partij, waarin wordt gediscussieerd en nagedacht, en waarin Thanasis Apostolou vrijelijk mag verklaren dat hij tegen euthanasie is.

Bart Tromp was dus kansloos.

Sharon Dijksma trouwens ook.

Het vliegtuig bevindt zich op zevenduizend voet als de lunch wordt geserveerd. Ik sla Joep Dohmens boek *Europese Idealisten – Vraag niet hoe het kan, profiteer ervan* (1999) dicht en kijk peinzend om me heen. Zou het waar zijn? Zijn hoogstens driehonderd van de 626 europarlementariërs te vertrouwen? De rest, zegt Dohmen, schrijft met dubbel krijt en heeft op kosten van de belastingbetaler een halfblinde schoonmoeder op de loonlijst staan. De europarlementariërs met wie ik richting Straatsburg vlieg, ogen echter als de braafheid zelve. Hedy d'Ancona verdiept zich in *De Groene Amsterdammer*. Alman Metten bestudeert het voorstel tot intrekking van verordening nr 2731/75 tot vaststelling van de standaardkwaliteit van zachte tarwe, rogge, gerst, maïs en durumtarwe. Intussen kauwen zij op hun broodje kaas of hun broodje ham, een glas spa binnen handbereik. De tijd dat hier, vroeg in de middag, hoog in de lucht, de champagnekurken knalden, is voorbij.

Ik begeef me naar de plenaire zittingszaal om me zo snel mogelijk aan al die beroemdheden te vergapen. De Belgische ex-premier Leo Tindemans is zijn stemkaart kwijt. Otto von Habsburg, de kleinzoon van de Oostenrijkse keizer Franz Joseph, rommelt in zijn attachékoffertje. Hanja Maij-Weggen, de Greta Garbo van de Europese gedachte, neemt met natuurlijke gratie in haar bankje plaats en luistert oplettend naar het pleidooi van de liberaal Jan Mulder om het contingent aardappelzetmeel te continueren.

De zaal is nauwelijks gevuld. Waar is iedereen? Voor de veelbekritiseerde eurobraspartijen, gevolgd door de Straatsburgse roze balletten, lijkt het nog wat vroeg op de dag. Nee, de afgevaardigden wonen braaf een commissievergadering bij.

Hedy d'Ancona is voorzitter van de commissie Openbare Vrijheden en Binnenlandse Zaken. 'Collega's en andere aanwezigen,' zegt zij met haar onweerstaanbare jongemeisjesstem, 'ik kreeg zonet helaas een héél naar bericht. Onze Emilio, le capitain van het secretariaat, heeft dit weekeind een hartaanval gekregen. Daar ben ik echt van geschrokken. Ik zal hem namens u allemaal een bloemetje sturen, met een lieve brief.'

Tijd voor een gezond glaasje jus in de journalistenbar.

'Wim al gezien?' vraagt iemand.

'Geen idee waar Wim uithangt,' zeg ik wat bedrukt. Wim Bosboom is de nestor van de Nederlandse journalistendelegatie, altijd bereid onervaren collega's in de sloppen en de stegen van Straatsburg wegwijs te maken. Hij is dé eurospecialist van Radio Rijnmond, wiens inzicht en ervaring node kunnen worden gemist. Of zoals de verantwoordelijke redacteur van het kwartaaltijdschrift *Europa Een, Vereend én Vooruit!* het zei: 'Je hoeft tegenover Wim maar één woord te laten vallen en heel Europa gaat voor je open.'

Eduard Slootweg, de voorlichter der Nederlandse christen-democraten, offreert een kop koffie. Gevraagd naar recente wapenfeiten in de Europese regelgeving, begint hij een betoog over de schimmelquotering op kaas en de uniformering van de platbodems op de Europese wateren. 'Europa is zo mooi!' besluit hij, haast euforisch. 'Hier gebeurt het! Verschrikkelijk, dat uitgekakte parlement in Nederland. Alsof er geen belangrijker dingen bestaan dan de vraag of de burgemeester moet worden benoemd of moet worden gekozen.'

Snel terug naar de plenaire zittingszaal, waar Joschka Fischer, de Duitse minister van Buitenlandse Zaken, zijn Kosovobeleid zal verdedigen. Hij (maatpak) doet het met dezelfde verbale glans waarmee zijn voormalige strijdmakker Daniel Cohn-Bendit (rode trui boven een spijkerbroek) zijn kritische kanttekeningen plaatst.

Hedy d'Ancona mengt zich in het debat. Zij constateert dat het verenigde Europa tot op heden precies achttienduizend van de zeshonderdduizend vluchtelingen asiel heeft verleend. 'Ik beschouw dit als een brevet van onvermogen.' Het is een kort, dramatisch betoog, waarin zelfs geen echo van haar gebruikelijke jongemeisjesstem te beluisteren valt.

Cohn-Bendit loopt vanaf de achterste rij, handen in de zakken, naar voren en gaat op de traptrede naast de zetel van Fischer zitten. Hij begint te fluisteren. Fischer leent hem het linkeroor, terwijl het rechteroor het parlementaire discours probeert te volgen. Dan capituleert hij en geeft hij zijn volledige aandacht aan de voormalige studentenleider. Jongens waren het, aardige jongens, inmiddels getransformeerd tot ernstige, volwassen politici, zich ten volle van hun verantwoordelijkheid bewust.

À propos, vragen wij aan Jan-Willem Bertens (D66), wordt straks het debat over de eurosalarissen nog spannend?

'Spannend?' lacht Bertens. 'Nee, het is een bekeken zaak. De vetpotten blijven gevuld.'

Inderdaad, even later besluit het europarlement, thans tot de laatste man en vrouw aanwezig, in grote meerderheid tot handhaving van de status-quo. Applaus! Applaus? Hoor ik het goed? Applaudisseren de dames en heren voor de handhaving van hun eigen, ritsel- en foezelgevoelige salarisregeling? Nog even en zij heffen gezamenlijk de eurohymne (*Freude, schöner Götterfunken…*) aan.

In het kamertje van de afdeling Voorlichting zit een onbekende met een baard. Hij werpt ons een vergramde blik door zijn brillenglazen toe. Dan begint hij ons uit te kafferen. 'Wat doen jullie hier? Journalisten, hè? Allemaal schorem! Jullie vertonen je hier enkel en alleen als er rottigheid te beschrijven valt.' Waardig antwoord ik dat er in dit soort gevallen twee partijen zijn: geldbeluste graaiers die niet met hun poten uit de kas kunnen blijven, en journalisten die dit soort rottigheid onder de aandacht van hun lezers horen te brengen. De man – het blijkt de liberale europarlementariër F. Weisenbeek te zijn – mompelt nog enige duistere verwensingen en doet er verder het zwijgen toe. Heel verstandig van hem. Hij is een prominent lid van de 'vrijdag-inners', de kleine diefjes die 's morgens om drie minuten voor negen de presentielijst tekenen om zich om kwart over negen, 508 gulden rijker, per eurolimousine naar het vliegveld te laten vervoeren.

Onze taxi passeert ten noorden van Straatsburg een van de vele soldatenkerkhoven uit de regio, met die helderwitte, naamloze, altijd weer aangrijpende kruizen boven de graven. En ik overdenk: er valt op Europa veel aan te merken, maar het vormt de garantie dat Frankrijk en Duitsland, de dominerende naties van het continent, elkaar nooit en te nimmer meer de oorlog zullen verklaren.

De oorzaak van het gesprek was het boek dat Pim Fortuyn over de 'islamisering van onze cultuur' had gepubliceerd, waarna de discussie al binnen enkele seconden ontaardde in een verbale partij modderworstelen zoals die zelden op de Nederlandse televisie is vertoond.

'En als ik lees dat u dingen schrijft als: "Eén land, één volk, één natie", dan roept u de sfeer op waarmee de NSB voor de oorlog stemmen probeerde te winnen,' zei Marcel van Dam, duopresentator van het programma *Het Lagerhuis*.

'Het zijn allemaal leugens,' antwoordde Fortuyn. 'En dat verwondert me niets. U hebt me een paar jaar geleden in een interview al met Adolf Eichmann vergeleken. Dat was zo'n vieze, glibberige tekst dat ik er juridisch niets aan kon doen.'

'U liegt!' sprak Van Dam met stemverheffing. 'U bent niet alleen een leugenaar, maar u bent ook een ophitser.'

'En u bent een populist en een onder-de-gordel-werker.'

'Een populist? Weet u wat ik vreselijk vind?'

'U! Ik vind ú vreselijk!'

'Dat u potentiële angsten bij het Nederlandse volk tegen vreemdelingen exploiteert om die boekjes te verkopen, die overigens voor geen gulden informatie bevatten.'

'Weer zo'n beschuldiging!' sprak Pim Fortuyn.

'U bent een buitengewoon minderwaardig mens… Weet u dat?' sprak Marcel van Dam.

Van Dam doelde op Fortuyns favoriete thema: de islamisering van Europa, waar 's lands bekendste socioloog een tegenstander van is, behalve als het de trotse bezitters van exotische 'jongemannenkontjes' betreft, want in dit soort gevallen is de spreker uiterst tolerant. De Amsterdamse tv-zender AT5 bezocht zijn Rotterdamse woning, die rijkelijk met jongemannenkontjes gestoffeerd bleek te zijn, terwijl er op elke etage wel een portret van 'Prof.dr W.S.P. Fortuyn, adviseur in politiek strategische vraagstukken' bleek te hangen.

Het wereldbeeld van Pim Fortuyn is eenvoudig en overzichtelijk. Hij trekt zich af op jongemannenkontjes en hij trekt zich op aan zijn professorale status, in het besef gedoemd te zijn totterdood zowel een seksuele als intellectuele buitenstaander te blijven. 'Ik sta naast de hoofdstroom. Door de officiële pers en door de officiële wetenschap word ik genegeerd en doodgezwegen als de pest.' En het is allemaal de schuld van zijn passie voor voornoemde jongemannenkontjes. 'Ik denk dat de homoseksualiteit nog steeds een rol speelt, niet als een bewuste strategie, want dat kan niemand zich meer permitteren. Maar in de zin van er-niet-bijhoren speelt het absoluut een rol.'

Hij is de outcast, de outsider, de underdog van intellectueel Nederland. 'Zij discussiëren niet met mij. Het gaat altijd over mijn persoon. Het zijn altijd snieren. Het gaat nooit over wat ik schrijf. Dat is kwetsend, heel kwetsend.'

Hij stond centraal in het omslagverhaal van *HP/De Tijd*, als prominent slachtoffer van het 'intellectueel isolement' waarin dwarsdenkers als hij zouden verkeren. Zijn ogen stonden droef onder zijn kale knikker, het bovenste boordenknoopje was losgemaakt en zijn onstuitbare babbel werd gesmoord door een rood-zwarte stropdas. Ziedaar Pim Fortuyn, gekneveld door de 'relatiocratie' die hem systematisch het spreken belet. Zegt 'professor Pim', zoals Harry Mens hem noemt, dezelfde Mens in wiens praatprogramma Fortuyn de vaste gast is. Zoals Fortuyn wekelijks een hoekje in *Elsevier* had, voordat hij besloot zich in de praktische politiek te begeven. Dezelfde Fortuyn die zeker één keer per jaar via uitgeverij Bruna en meer recent Van Gennep een boek op de markt brengt. Dat vervolgens luidkeels wordt aangeprezen op de symposia, van de jaarvergadering van Ernst & Young Consulting tot het Eerste Nationale Congres van de Tankstationbranche, bijeenkomsten waarop Fortuyn tientallen keren 's jaars zijn zegje doet. Gooi een sympathiek bedragje in Pim Fortuyn en er komt onmiddellijk de gewenste mening uit. 'Ten slotte kan ik niet laten mijn teleurstelling uit te spreken over het ontbreken van een baggermilieu-industrie.'

Niettemin is, tegen de uiterlijke schijn in, zijn intellectueel isolement een feit. Niet omdat relatiocratisch Nederland Fortuyn met zijn eigen stropdas de mond snoert, maar omdat hij zelden iets zegt of schrijft dat de moeite van het overdenken waard is. Hij grossiert in idées reçues, waarin iedereen, van rechts tot links, naar rato wordt bediend. Op de golflinks beluistert men de echo van zijn theorie dat Nederland (vol is vol) aan een verderfelijk vluchtelingenbeleid ten onder dreigt te gaan. Aan de stamtafel herkauwt men genotzuchtig zijn lompenproletarische tirades tegen de 'schaamteloze elite' in dit 'kolere regentenland', met haar ordinaire en weerzinwekkende gegraai en gegrabbel. 'Met zijn allen dansen zij om het gouden kalf, terwijl er werelddelen zijn die van ellende niet weten waar zij het moeten zoeken.'

Pim Fortuyn. Een katholieke middenstandsjongen die met het marxisme flirtte, met slaande deuren de Partij van de Arbeid de rug toekeerde, zich ogenschijnlijk op de rechtervleugel van de vvd posteerde, ondertussen het platte populisme van de Socialistische Partij praktiserend, door de cd'er Hans Janmaat een kamerzetel kreeg aangeboden en inmiddels overal tégen is, zowel tegen 'de mooi-weerpremier' Wim Kok als tegen de 'snibbige' koningin Beatrix. Hij is de stand-up comedian van ondernemend Nederland, hij is een groothandelaar in meningen en meninkjes, die allemaal worden gepresenteerd met een aangebrandheid ('Ik ben het zat. U ook?') alsof hij een bananenrepubliek bewoont in plaats van een hoogontwikkelde, liberale democratie waarin iedereen, 'Prins Pim' (moeder Fortuyn over haar zoontje) niet uitgesloten, mag zeggen en schrijven wat hij wil.

Hij is de goeroe van de *Elsevier*-yup die uitsluitend in beursnoties en xenofobe categorieën denkt. Gelaten laat hij zich de bewondering van marginale denkers als Harry Mens en Bob Smalhout aanleunen. Hij leeft al vanaf zijn jongelingsjaren in een wereld van schone schijn. Zeventien jaar was hij toen zijn parochie hem benoemde tot voorzitter van de werkgroep Huwelijk, Gezin en Seksualiteit, 'een voorzitter die over deze thema's het hoogste woord voert, wiens ervaring niet verder reikt dan een driemaal daagse afrukpartij'. Burgemeester wilde hij worden, of paus, of desnoods minister-president. Dat leidde allemaal tot niets. Dus werd Pim Fortuyn in godsnaam maar bijzonder hoogleraar arbeidsvoorwaarden bij de rijksoverheid, 'voor één dag in de week, tegen een zeer bescheiden vergoeding, maar ja, voor de eer moet je iets overhebben'.

De functie van bijzonder hoogleraar bestaat echter voornamelijk uit Haagse bluf en koude drukte. Nederland telt bijna duizend bijzondere hoogleraren, voor negentig procent imitatie-geleerden, van de hoogleraar aluminiumconstructies tot de hoogleraar in de ethiek van de politieke praktijk met speciale aandacht voor de christelijke levensbeschouwing. Ook de professorale uitstraling van Pim Fortuyn reikte vijf jaar lang (1990-1995) nauwelijks verder dan zijn visitekaartje en zijn imponerende briefpapier, totdat hij uit zijn functie werd gezet omdat hij, zoals zijn toenmalige rectormagnificus zei, 'niet voldeed aan de wetenschappelijke criteria'.

Geen mens ontkomt aan een zekere vorm van imponeergedrag. De functie van straaljagerpiloot, hoofdredacteur of desnoods bijzonder hoogleraar ligt nu eenmaal wat beter in de markt dan die van buschauffeur. Wij doen het voor onze oude, bewonderende moeder of onze in onze carrièredrift schromelijk verwaarloosde echtgenote. Pim Fortuyn, de vleesgeworden ijdelheid der ijdelheden, is echter exclusief met zichzelf getrouwd. Hij is naar eigen zeggen 'een geboren leider', 'een gewiekst onderhandelaar', 'een scherp debater', 'een man met een missie', 'de koningin van het feest' en 'een held, soms een gemankeerde, dan weer een tragische of komische, maar toch een held'.

Wat was er echter heldhaftig aan een rubriek, zoals de zijne, waarin week in, week uit alle onheil in de wereld in de schoenen van de vluchtelingen en vreemdelingen wordt geschoven? Het is een en al behaagziek geheupwieg in de richting van de *Elsevier*-redactie en *Elsevier*-lezer, die op dit punt *De Telegraaf* allang rechts zijn gepasseerd. 's Lands grootste weekblad profileert zich sinds enige tijd consequent via twee thema's. Het eerste is: hoe til ik de fiscus? Het tweede is: hoe houden wij de vreemdelingen buiten de grens? Paul Kalma, directeur van de socialistische Wiardi Beckman Stichting, heeft over de 'uiterst tendentieuze berichtgeving' van *Elsevier* een kritische beschouwing geschreven. 'Snierend wordt gesproken over de "asielindustrie" en de "profi's in het spiksplinternieuwe asielmiddenveld". "Medische asielzoekers", aidstoeristen, Afrikaanse mensensmokkelaars: elke week loopt er wel een "probleem volledig uit de hand". Nederland is vol en de gemiddelde asielzoeker, zegt *Elsevier*, is een "gelukzoeker die jokt, bedreigt, vervalst en spelletjes speelt".' Het zijn, constateert Kalma, 'nietsontziende aanvallen op de multiculturele samenleving en ze passen te goed in een algemene trend om op de afloop gerust te zijn'.

De zelfbenoemde dwarsligger en dwarsdenker Pim Fortuyn voegde zich naadloos in dit redactionele beleid. '*Elsevier* en ook ik hebben de laatste maanden de nodige negatieve publiciteit over ons heen gekregen.' De columnist hield echter moedig stand. Wat hem laatst weer is overkomen! Hij heeft in zijn oude, vertrouwde Rotterdam hoogstpersoonlijk een van top tot teen gesluierde vrouw gesignaleerd. Onraad! 'Hier wordt een grens overschreden.' Typisch Pim Fortuyn. In een analyse van het Israëlisch-Palestijnse conflict kon hij het weer niet laten de jongemannenkontjes van de stenengooiers in het debat te betrekken. Maar één gesluierde vrouw op de Coolsingel te Rotterdam is voor hem reeds een reden om zijn *Elsevier*-lezers te waarschuwen tegen de dreigende islamisering van de westerse cultuur.

Het is een bespottelijk en bovenal onsympathiek standpunt. Niemand zal ontkennen dat de multiculturele samenleving problemen met zich meebrengt. Van een islamisering van de samenleving is echter geen sprake, hoogstens van een islamisering van het vuile werk waar u en ik, Pim Fortuyn en zijn particuliere chauffeur, te beroerd voor zijn.

Het is een en al getier tegen de man die eigenlijk op zijn stoel zit: 'premier Kok, salonsocialist', gesteund door 'Ed en zijn trawanten', schaamteloze, infame politici die rugdekking geven aan 'een stelletje uitvreters', tot het te laat is en 'de pleuris' in ons land uitbreekt, behalve natuurlijk als wij ons bijtijds aan het voorbeeld Jörg Haider spiegelen, de Oostenrijkse politicus die de Nederlandse media geheel ten onrechte als 'extreem rechts' hebben afgeschilderd, terwijl het 'nieuwe fascisme' in werkelijkheid gestalte heeft gekregen in de 'anonieme bureaucraten en verambtelijkte politici', de technocraten 'die onze vuilniszakken openmaken om vast te stellen of wij milieu-aanwijzingen overtreden'.

Het is een curieuze mengeling van vulgair ultralinks en agitatorisch ultrarechts, zoals dit sinds de liquidatie van *De Waarheid* en de opheffing van *Volk en Vaderland* in ons land in ongerede leek te zijn geraakt. Eén column ging zelfs de redactie van *Elsevier* te ver. Het was Fortuyns beschouwing over het echtpaar Peper-Kroes, dat in opspraak was gekomen omdat het met de sociaal-liberale vingertjes in de suikerpot zou hebben gezeten. Schuldeloos waren 'het brutaaltje' en 'haar mannie' waarschijnlijk niet. Ook op de 'consensus-masturbant' Kok en de ten stadhuize geposteerde 'schijthuizen met kilo's boter op hun hoofd' valt ongetwijfeld iets aan te merken. Niettemin, wat is er in Pim Fortuyn gevaren toen hij zijn column schreef?

'Lief echtpaar,' besloot ons nationale geweten zijn bijdrage, 'elk woord van deze column, wat zeg ik, elke letter daarvan, is bedoeld als een affront tegen jullie misselijkmakende praktijken. Ik en ik alleen ben hiervoor verantwoordelijk! Ik daag jullie publiekelijk uit een proces tegen mij aan te spannen wegens smaad. Ik lust jullie rauw of, zoals ze bij ons in Holland zeggen, ik maak jullie in met boter en suiker. Kom maar op als je durft, hou de weinige eer die jullie nog rest aan jullie zelf en spoedt jullie weg met het eerste het beste vliegtuig dat gaat, non-valeurs van de ergste soort!'

Dat kon dus niet, zelfs niet in *Elsevier*. Dus zette Pim Fortuyn zijn geweigerde bijdrage op zijn website. Wat wij reeds vermoedden, werd bewaarheid. Hij beschikt over een echte fanclub. 'Klasse, Pim!' Het zijn 'allemaal zakkenvullers', met name die lui 'uit de rood-fascistoïde hoek'. Jij bent 'een columnist met ballen'. 'Dat was prima gesproken, Pim.' 'Als u eens wist wat die rode flikkers 45 jaar terug aan gegevens uit de Tweede Wereldoorlog hebben vernietigd, dan braak ik nog van woede.' 'Sodeju, ferm geschreven!' 'Dit moet op de voorpagina van de zaterdag-Telegraaf gepubliceerd worden.'

Helaas voor Fortuyns bewonderaars is *De Telegraaf* voor zoiets te beschaafd en te gematigd.

Tue, 17 Oct 2000, een faxbericht van de Onafhankelijke Nationale Persdienst, wat dat ook mag zijn. De Delta-Stichting belegt op zaterdag 11 november zijn zesde Colloquium. Thema: Recht op antwoord! Tegen de dictatuur van het 'politiek correcte' denken. Belangrijkste spreker: Prof.dr Pim Fortuyn, 'hoofdredacteur van Elseviers'. Thema: 'Hét taboe: de islamisering van onze cultuur.' In Antwerpen, hoofdkwartier van het Vlaams Blok, de stad waar de vreemdelingen, erger dan waar ook, worden gepest en uitgescholden. In Antwerpen! Vergelijk het met Anton Mussert die in 1936 in Berlijn een voordracht over het joodse vraagstuk houdt.

VIII

KUNST & VLIEGWERK II

De dichter Querulijn Xaverius markies de Canteclaer van Barneveldt heeft zich reeds in zijn vroege werk (gepubliceerd in *Opwaart-
sche Wegen*, 1938) teruggetrokken in een aristocratisch, zo niet au-
tocratisch isolement. Eén keer heeft De Canteclaer zich laten interviewen, door de befaamde E. d'Oliviera, in het zomernummer
van 1939 van het blad *In den Gulden Winckel.* Bij deze gelegenheid
verklaarde hij openhartig geen dichter te zijn voor het grauw, voor
de heffe des volks, voor de smaak, beter gezegd voor de wansmaak
van het Janhagel.

Want:

Voor ied're bêtise trekt 't Janhagel uit,
in menigtes of platte scharen,
met baldadig brallend stemgeluid,
dat ied're courtoisie heeft laten varen.

Zo stuwt het trekkebekkend door de lanen
en destrueert het beemdgras en de aster.
't Ontziet zich niet een weg door het gazon te banen,
zelfs al remitteert 't een sierpilaster.

Zijn poëzie (zowel het frisse, onbezorgde 'Vleugeljaren' als het be-
zonnen, licht-weemoedige 'Hanezang') bevindt zich, van de eerste
pastorale tot de laatste dithyrambe, in het spanningsveld tussen
binnen- en buitenwereld, een motief dat zo oud is als de Europese
dichtkunst en een kenmerk voor de dualistische cultuur waarin wij
leven. Geen poëzie kan het stellen zonder de spanning tussen wer-

kelijkheid en onwerkelijkheid, grijpbaar en ongrijpbaar. Wat wij zo scherp zien, ontspant zich in wat wij niet zien, of dit nu een vorm is van een wereldbeeld, een zelfportret of een onuitgesproken gevoel. Zo maakt de dichter – een dichter als De Canteclaer is er een typisch voorbeeld van – zich zowel sterk als waar. In plaats zich regressief op te stellen tekent hij protest aan tegen de verzakelijkte, gevoelloze wereld waartegen hij, buiten de veilige beslotenheid van zijn studeerkamer, niets uit kan richten.

Zijn werk herinnert aan het onbedorven platteland van de vroege Vestdijk, met zijn jagers, kruiden, heesters, vogelen en vruchten des velds. Net als de rijpere Leopold heeft hij zijn beste invallen in de vrije natuur. De ontkiemende Roland Holst, in artistieke en sociale zin, bevindt zich altijd op een boogscheuts afstand.

Menno ter Braak, die in zijn tijd een der weinigen was die de samengebalde sterkte van De Canteclaers vroege poëzie herkenden, schreef in een treffende karakteristiek van de debuterende dichter: 'Ongetwijfeld hangt de verwantschap tussen poëzie en jeugd (puberteit) samen met de afslijtende kracht van het maatschappelijk leven, waarvan iemand van twintig minder te lijden heeft dan een veertiger of vijftiger.'

De Canteclaer ontwikkelde zich al snel als een atypische exponent van de 'Rommeldamse School', traditioneel in zijn themakeuze, experimenteel in toon en versvorm. Twee jaargangen lang voerde hij de redactie van het tijdschrift *De Bolderknar*, tezamen met de dichter-musicus Bullie Slingervinger, wiens 'Geld en rol – bol en hol – prollebol!' grote bekendheid heeft gekregen. Het redactiesecretariaat was in handen van de performer Wammes Waggel, specialist op de autotoeter en de eensnarige gitaar. De drijvende kracht achter het kwartaalblad was echter de magisch-occultist Piet ('Terpen') Tijn, wiens olieverf 'Ik dus' (oker, in sepia losgewerkt, met zeker drie groenen in de opklimmende tonen) de sensatie van de laatste expositie van de Rommeldamse Kunststichting is geweest.

De Canteclaer ging echter al spoedig zijn eigen, eenzame weg. Korte tijd leek hij, in zijn hang naar regressieve romantiek, een geestverwant in zijn plaatsgenoot Olivier B. Bommel te hebben gevonden, eveneens een uitgesproken lyricus.

Bommel dichtte, in zijn 'Lentedraden voor Heloïse':

Als wilgentakken zijn uw armen,
als een rozenbottel bloeit uw voet,
uw teder hart is vol erbarmen –
en robijnen kloppen in uw bloed…

Helaas bleek de genoemde Heloïse een volle nicht van De Canteclaer te zijn, een feit dat tot een ernstige verwijdering tussen beide kunstenaars heeft geleid. Hun onderlinge verhouding zou gespannen blijven. Waar Bommel zich allengs, onder invloed van de inmiddels vrijwel vergeten Ibbele Hoeder, in gebruikslyriek specialiseerde, publiceerde De Canteclaer zijn spraakmakende 'Barlemagne' (*De Groene Amsterdammer*, 1947), een gedicht dat algemeen als een poging tot onverholen afrekening met zijn voormalige medestrijder wordt gezien.

't Was grol en gloei en slomig broei
in lure, slore stirren.
Het was sar stomig in mijn krol,
daar stunk een kwal van schit en brol
en sloomden glome knirren.

Het werk van De Canteclaer, dat de poëzieliefhebber inmiddels integraal ter beschikking staat (*Verzamelde Poëmen*, 1997), heeft alle kenmerken van een bouwsel in de open verbinding tussen binnen en buiten. Het heeft, mits met aandacht gelezen, het effect van een semantische aardbeving, een schokeffect dat de poëzie sinds Luceberts 'Woe wei' niet meer heeft meegemaakt. De aanvankelijke natuurzangen hebben een vrij hermetisch karakter gekregen, wat waarschijnlijk samenhangt met haar thematiek van onzegbaarheid en paradoxaliteit. Toch is De Canteclaer er ontegenzeggelijk in geslaagd het stijfsel van zijn gedichten te antroposofiëren en de grens tussen het hier en daar vloeibaar te maken. Geen betekenis ligt vast, om een bekend woord van Bloem te citeren.

Nog één keer zouden de wegen van de beide Rommeldamse dichters, De Canteclaer en Bommel, elkander kruisen. Het was bij een gastoptreden van de vogel Phoenix, ergens halverwege de revolutionaire jaren zestig. De Canteclaer, op het toppunt van zijn scheppende kracht, heeft er een van zijn meest doorleefde gedichten aan gewijd:

> Zie om uw henen en looft de natuur:
> de boom, die zo zwart was, schiet knop!
> Alles vernieuwt zich, al is het nog guur,
> gelijk een Phoenix, die juichend rijst op
> uit sintels van louterend vuur.

Bommel, te gast op de avond waarop het vers ten eerste male werd voorgedragen, sprak bij deze gelegenheid de woorden: 'Heel mooi. Een feniks, hè? Dat is toch het merk van een kachel, of zoiets?' De conclusie moet luiden dat de ooit zo veelbelovende dichter inmiddels veel aan creatieve kracht heeft verloren.

Anders dan Querulijn Xaverius markies de Canteclaer van Barneveldt. Nee, hij is geen nieuwlichter. De syntactische revolutie van de Vijftigers is aan hem voorbijgegaan. Reeds in zijn *Minima moralia*, een beperkte, in beperkte oplage verschenen bundel, heeft hij zich het hoofd gebroken over de bederfelijke aspecten van de moderne samenleving. Hij is wat betreft afkomst en temperament altijd een bezwaarde tegen de geest des tijds geweest. Maar dichters staan boven de waan van de dag. Zij schrijven pamfletten noch partijprogramma's, zij zijn de ongekroonde koningen in het door geen prozaïsche plompvoet te betreden universum waar de bomen druilen met hun takkenkantwerk en het sombere zwerk zijn hemelwater weent.

Zelden heeft De Canteclaer het wezen van zijn kunst zo aangrijpend onder woorden gebracht als in het kristalheldere 'Le retour des hirondelles':

Mijn spraak walmt als groeisel uit de aarde.
Als dansende punaises, als sassafraskleurig gras,
als een onbeschreven kievit.

Het is een vorm van zelfbehoud geweest, om een term van A. Roland Holst te gebruiken. Alleen in het verstuivend gebied, de meest elementaire vorm van werkelijkheid, kan de 'ik' terecht om tot zichzelf in te keren. De weg is afgelegd, de sporen blijven achter. De tocht kan opnieuw beginnen, het verstuivend gebied is verstild, zonder dat het oog erdoor wordt verblind.

Het voormalige duo is afkomstig uit Den Haag, een stad die op zon- en feestdagen 's-Gravenhage wordt genoemd.

Dat is de merkwaardigste gemeente van Nederland. Het is 'het Dorp der Dorpen geen daar ieder Steeg een pad is./ Maar Dorp der Steden een daar ieder Straat een Stad is'. Zo dichtte Constantijn Huygens omstreeks 1660. Sedertdien is Den Haag aanmerkelijk verstoft, althans in hoogmoedige Amsterdamse ogen, die zelden verder kijken dan de hoofdstedelijke neus lang is.

Een niet-Hagenaar is gedoemd een vreemdeling in het Jeruzalem rond Korte en Lange Poten te blijven. Wat weet je, als niet-Hagenaar, eigenlijk van Den Haag? De lokale krant heet de *Haagsche Courant*. Het lokale toneelgezelschap heette de Haagsche Comedie en heeft zich, om zich aan het conservatieve imago te ontworstelen, inmiddels tot het Nationale Toneel herdoopt. Het Internationaal Gerechtshof huist in het Vredespaleis. De hoeren huizen in de Geleenstraat, vlak bij station Hollands Spoor. Je kunt in Den Haag, dankzij de aanwezigheid van veel Indische Nederlanders, excellent rijsttafelen. De politieke congressen worden gehouden in het Congresgebouw. Daarnaast is Den Haag ook nog de zetel van 's lands regering, maar laten wij het daar maar liever niet over hebben.

Het duo heeft nationale roem verworven als satirici, die tussen de bedrijven door ook in de tovertuin der literatuur plegen te slenteren.

Den Haag en de satire! De plaatselijke humorist heet Paul van Vliet, een komiek om wie wij, niet-Hagenaars, nog nooit hebben kunnen lachen. Den Haag en de literatuur! 'Den Haag, stad, boor-

devol Bordewijk/ en van Couperus overal een vleug,' dichtte Gerrit
Achterberg. Het is ongetwijfeld wáár, maar beide schrijvers zijn inmiddels nogal dood, zonder echt op aanvaardbaar niveau te zijn
vervangen.

Ik sla *Aarts' Letterkundige Almanak* op bij de willekeurig gekozen
letter H en noteer: Kurt de Haan, Hans Harmens, C. van Heeke-
ren, P.J. Hens, Pim Hofdorp en dr S.W. Huygens. Het zijn of waren
ongetwijfeld achtenswaardige lieden met een uitnemende beheer-
sing van het alfabet, maar toch heb ik het stellige vermoeden dat
ik er, in letterkundig opzicht, niet al te veel aan mis.

Derderangsthrillers en ministeriële nota's, dat is het leeswerk dat
op Haagse bodem gedijt. Niet toevallig nam de Hagenaar Simon
Carmiggelt, zodra hij de leeftijd des onderscheids had bereikt, de
trein naar Amsterdam. Zo ook de Hagenaars Kees van Kooten en
Wim de Bie, schrijvers en satirici.

'Reeds op school, het Dalton Lyceum alhier, waren Wim en Kees
beroemd om hun oeverloos gepraat, geklets over allerlei onbenul-
lige dingen,' getuigt de *Haagsche Courant*.

'Het is Haags hè, wat ze doen, nog steeds. Beschaafd, midden-
klasse en met een hoge trendgevoeligheid,' getuigde een voormalige klasgenote.

Ik wandel over de Lange Voorhout richting café De Posthoorn
en passeer gebouw Diligentia. Daar hoorde de kleine Kees van
Kooten, in het gezelschap van zijn ouders, voor het eerst een voordracht van Wim Kan, waarna hij besloot ten minste even geestig
als Neêrlands meest befaamde conferencier te worden.

Drieënhalf decennium later legde Van Kooten het Diligentia-
publiek uit waarom Haagse humor superieur is, vergeleken met de
paljasserij elders in de lande. Dat ligt aan de gebenedijde combinatie van nuchterheid en verbeeldingskracht.

Een voorbeeld:

Een Hagenaar laat een wind.
Zegt z'n buurman: 'Wat maak je ma nâh, joh!'
Zegt de windenlater: 'Ja effe me aambèje föhne…'

Café De Posthoorn wordt door een vreemd soort kunstenaars gefrequenteerd: een soort ambtenaren met artiestenbeharing. Zij worden bediend door deftig-joviale obers, die in Nederland zeldzaamheidswaarde hebben gekregen:
'Pilsebiertje meneer?'
'En wat mag het zijn voor madame?'
Hier is, lang geleden, de samenwerking tussen Van Kooten en De Bie gestart. Zij komen er nog steeds, als zij toevallig iets in hun geboortestad te zoeken hebben. Hier zitten, naast de artiestiekelingen, de typetjes waardoor zij zich laten inspireren. Zij het niet allemaal, want voor hun Klisjeemannetjes ('Waar is mèn bal nâh?'), hun Jacobse & Van Es ('Der is geen respek meer voor ons soort vrèje jonges.') en voor hun vakbondsfunctionaris Aad van der Naad, tijdens de grote bouwvakstaking van 1960 stakingsleider bij de bouwprojecten in de Haagse Mariahoeve, is café De Posthoorn veuls te keurig-keurig-keurig.

Het tweetal was jarenlang de trots van de plaatselijke pers, die ooit gewaagde van 'onze bloedeigen Wim de Bie en onze niet minder eigen Kees van Kooten, Hagenaars die er eerlijk voor uitkomen, oprechte Hagenaars die het vertikken om het over "plein" te hebben als het "plèn" is'.
Het geschiedde bij de verschijning, in september 1966, van hun *Tien Gesprekken aan het Biljart*, ontleend aan het VARA-radioprogramma *Uitlaat*. Toen heetten zij nog de Klisjeemannetjes. Een

jeugdzonde, in hun gerijpte optiek. Een interviewer bekende dat hij de grammofoonplaat diezelfde middag, ter voorbereiding van het gesprek, nog even had afgespeeld. 'Jezus!' reageerde Van Kooten. 'Dat zou ik nooit meer durven draaien, hoor!'

Deze Klisjeemannetjes vormen de embryonale kern van de diverse Haagse persoonlijkheden die hun scheppers in de loop van de jaren hebben bedacht.

Een stukje dialoog, opgetekend boven het biljart van café De Sport:

'Waar is mèn bal nâh?'

'De middelste van de twee. De stip. Die zal je vanachter je rug motte stote…'

'O, daar was ik al bang voor.'

'Hoezo, bang?'

'Nâh, kèk, ik heb persoonlijk een èùters gevoelige rug.'

'Hoezo, gevoelig?'

'Nâh, kèk, 's ochens, dan heb ik geen weet van me rug. Dan gaan ik as een kaars zo rech de deur èùt. Maar zo tegen ellefen, hé, bè nattig weer, dan komme de eerste scheute. Nou schreef die pil van mèn…'

'Zeg nou effe zelf, eerlèk, effe eerlèk, as me mèn zo ziet staan, dan denk je, nâh, daar staat een knappe jonge te stote, hé, rech van lèf en rech van lede, met alles nog functioneel. Maar de waarhèd is helaas andere koek. Deze jonge heb hooikoors. Van niezestèn. Eén strootje, één strootje ken ca-ta-stro-fale oorzake hebbe…'

Nee, zij waren slechts in de verte verwant aan Jacobse & Van Es, de twee randcriminelen die zich in leven hielden door zich, met behoud van uitkering, de pestpleuris te werken. 'Die Klisjeemannetjes waren noch links, noch rechts,' zei Van Kooten eens. 'Het waren een beetje lullige burgermannetjes, zoals je zo nu nog hoort als je een radiopiraat aanzet.'

Bijvoorbeeld 'Radio Giraffe, het station dat ze nek uitsteek', met Wim de Bie in de glansrol van 'uw gastheer' Henk de Drijver:

'Hallo mense, es effe kèke, ik heb 'n houte kop, een beetje door het lint gegaan, vannach. Maar goed… ons telefoonspelletje. Jullie kenne dus belle, mense, voor…'

Jingle: 'De Scheet van de Week!'

'… Ja, de hardste Scheet van de Week tot nu toe was van… – es effe kèke, wat een pestzooi hier, alles kwèt vandaag – bovenan, met de Scheet van de Week, staat Joop Zeuderveld èùt de Ampèrestraat. Joop kwam met ze scheet op de geluidsmeter op veertienkomma-drie!'

Ring.

'Ja, met mèn, Henk.'

'Oké, Bertje, zit je klaar? Ga je gang, Bertje, zet em op, joh!'

Stilte.

'Is dat alles, Bertje?'

'Klere. Krèg nou gauw de rambam…'

'Heb je ech niet méér in hèùs, joh?'

'Dat moet mè weer gebeure… Heb ik de hele week èùe voor ge-gete…'

Echt specifiek Haags aan deze scène is eigenlijk alleen het accent. Voor de rest kan het tafereel moeiteloos in het Utrechts of Schiedams worden vertaald. Door de Hagenaars Van Kooten en De Bie bespeeld krijgt het gesprokene echter een zekere meerwaarde. Een-ieder drukt zich nu eenmaal het meest trefzeker uit in de taal van zijn jeugd. Jazeker, het Haags is méér dan lokale kromspraak, het is een echte taal, met eigen, Haagse woorden en uitdrukkingen.

Zie de enige jaren geleden verschenen studie *Kèk mè nâh*, een èùgave van BZZTôH, Laan van Meerdervoort 10, DeHaag.

Er bestaan in feite, zeggen de samenstellers, twee soorten Haags, bekakt Haags en plat Haags:

'Wat scheelt eraan, beste kaerel?' vraagt de dokter.

'Nâh doktâh, ik hep 's ochtends zo'n pèn in me linkerschâdâh,' antwoordt de patiënt.

Het boek bevat een 'kleine Haagse woordenlijst', die op het eerste gezicht nogal Hollands aandoet. Van de onder de letter A gecatalogiseerde woorden – aai, aardbei (gelul van een dronken), afgeladen, afgepeigerd, afnokken, aftaaien, afzijken, asbak, asman, asjewijne, astrant en attenooie – zijn in feite alleen en 'aardbei (gelul van een dronken)' en 'astrant' exclusief Haags te noemen. Dit beeld wordt onmiddellijk door de letter B gecorrigeerd. Woorden als begaffelen (begrijpen), boutenbak (toilet), blauw goud (lood) of bazensnaai (een traktatie van werkgeverszijde) beluistert men alleen op de Stille Veerkade en omgeving, nooit op het Leidseplein of het Gedempt Zuiderdiep.

Zij dienen, verzekeren Van Kooten en De Bie, experts bij uitstek, met de grootste zorgvuldigheid te worden voorgedragen.

Van Kooten: 'Den Haag... het is een beetje lui, het tempo ligt laag, en daardoor krijg je ook dat de mensen die mond een beetje laten hangen, nauwelijks opendoen. Zo van laaaa. Niet de grote lach van de Amsterdammer of het energieke van de Rotterdammer.'

De Bie: 'Géén kaakenergie. De klinkers laten hangen. De ij zonder kaakenergie wordt è.'

Niet-Hagenaars, in de residentie te gast, zijn geneigd te spreken over vijfenvijftig ijzeren schijthuispijpleidingen op het Rijswijkplein. De ware Hagenees gewaagt van vèfenvèftig èzere schèthèùspèplèdinge op 't Rèswèkplèn.

Tegen de taalvaardigheid van Van Kooten en De Bie kan echter geen naslagwerk op, ook niet het genoemde *Kèk mè nâh*. Het boek heeft zeven Haagse synoniemen voor het begrip copuleren: bonken, wippen, fleppen, kezen, mutsen, een doppie maken en op de dot gaan.

Van Kooten en De Bie komen in hun publiekelijke voordracht in de Haagse Houtrusthallen, anno 1977, moeiteloos op dertien, waarvan er elf de taalwetenschap blijkbaar zijn ontgaan. Zij spreken over bonken, wippen, kieren, soppen, palen, ketsen, pompen, een punt zetten, kunstbiljarten, een veeg geven, van wippestein gaan, in de suikerpot roeren en de pruimen op sap zetten.

Gelukkig – voor kunst en wetenschap – is de dialoog op plaat respectievelijk compactdisc vastgelegd:

'Enne, kiere? Hoe staat 't daarmee?'

'Hé, kiere?'

'Ja, wippe. Ik bedoel, wat is jâh moyenne, kwa kiere? Wat sop jè nâh gemiddeld?'

'Nâh, ik bedoel... niet elleke maand natuurlèk, maar nâh heb ik er ook weleens een kwartaal bè, dat ik vier, vèf keer de âdste beweging van de wereld maak, za'k maar zegge.'

'Wat wènig, joh. Weet je hoe vaak ík ken flenze?'

'Nee.'

'Elke nach.'

'Hè.'

'Elke nach. Als je wil ken je me elke nach zien pale. Elke nach.'

'Elke nach van wippestèn, zeg! Nâh, dan zâde ze mè na een jaartje dinsdagochend op de stoeprand kenne zette.'

In sommige opzichten lijkt Van Kooten nóg Haagser dan zijn voormalige partner. Hij volgt, begrijp ik uit een artikel in de *Haagsche Courant*, nauwlettend de gebeurtenissen in zijn geboortestad, hierbij geholpen door de krantenknipsels waarvan de achtergebleven familie hem regelmatig voorziet. 'De planologische ontwikkelingen in Den Haag noemt Kees van Kooten gruwelijk.' En als deze gevoelens in artistiek gekanker moesten worden vertaald, nam Van Kooten de betreffende figuur voor zijn rekening.

Als Klisjeeman: 'Mevrâh wâh dat we vandaag een èùtstappie ginge make, met 'n speciale busrès, door de stad of zo, de nieuwe wèke bekèke. Ik zeg, alles goed en wel, ik zeg, maar vandaag gaan ik de nieuwe wèke níet bekèke, al die steenklompe, geen plekkie groen te zien, je wor er helemaal mies van.' En in de rol van Jacobse, de denker en doener van het duo Jacobse & Van Es: 'Nâh, om te beginne hebbe ze van de hèùze waarin we gewoond hebbe niet bepaald een museum gemaak, als gemeente DeHaag. Nâh zè ze daar toch niet zo sterk in in de gemeente DeHaag, om de boel een beetje knap te hâwe…'

'Den Haag, je tikt ertegen en het zingt,' dichtte Gerrit Achterberg. Hij schoot er zijn hospita dood en verhuisde noodgedwongen naar de Rijksinrichting voor Psychopathen te Avereest. Andere dichters waren minder over Den Haag te spreken. 'O, en de trieste, trage gele trams/ en het kippevel van de verwaaide straten…' verzuchtte Remco Campert, en reisde vervolgens af naar Amsterdam. Bovendien: 'De kroketten in het restaurant/ zijn aan de kleine kant,' constateerde Cornelis Bastiaan Vaandrager, en zocht een goed heenkomen richting Rotterdam. Zoals ook Kees van Kooten en Wim de Bie dit 'Dorp der Dorpen' allang de rug hebben toegekeerd: 'Wij moesten zo nodig naar Amsterdam, want daar gebeurde alles en in Den Haag geen ene mallemoer dus.'

Om er eigenlijk alleen maar terug te keren als zij daar om artistieke redenen toe zijn gedwongen. Als Klisjeemannetjes in de Houtrusthallen. Als Aad van der Naad, ooit stamgast in café Vita Nova. Of in de gestalte van Jacobse & Van Es, rondcrossend in een – ongetwijfeld van valse nummerplaten voorziene – Amerikaan. Maar de Klisjeemannetjes genieten allang van een waardevrij pensioen. En Aad van der Naad heeft zich, verbitterd door het 'klasseverraad' van oud-vakbondsman Wim Kok, uit de praktische politiek teruggetrokken. En Jacobse & Van Es zijn door hun scheppers hoogstpersoonlijk om het leven gebracht, omdat hun populariteit bedenkelijke trekjes begon te krijgen.

Daarmee waren de tv-programma's van Van Kooten en De Bie grotendeels onthaagd, een verschijnsel dat, in de residentie én elders in de lande, in satirisch én linguïstisch opzicht ten diepste moest worden betreurd.

Want met alle respect voor het geniale tweetal: met Berendien (uit Wisp, Grubbehoeve 7) en dr Clavan (Oost-Europa-Instituut, Amsterdam) bleef het enigszins behelpen.

Zij deed voor fellatio wat Noerejev voor de pas de deux deed, zegt de ene bewonderaar. Zij wist haar strot even virtuoos te hanteren als Enrico Caruso, constateert de ander.

Het betreft Linda Lovelace, hoofdrolspeelster in *Deep Throat*, de beroemdste pornofilm aller tijden. Linda mist, aldus het verhaal, het vermogen een orgasme te krijgen. Daarom is haar hartsvriendin zo vriendelijk een orgie voor haar te organiseren. Twaalf mannen worden gemobiliseerd die zich naar beste vermogen van hun taak kwijten. Pffft, zegt copuleerder nummer vijf en trekt zich even terug. 'What's a nice boy like you doing in a girl like that?' vraagt hij aan copuleerder nummer zes.

Wéér heeft het niet geholpen. Dus wendt Linda zich tot een psychiater, die de grensverleggende ontdekking doet dat de clitoris van zijn cliënte zich niet in de vagina, maar in de keel bevindt. De psychiater is verrukt: zijn ontdekking zal, denkt hij, minstens met de Nobelprijs worden gehonoreerd. Het meisje is echter nog steeds ontroostbaar.

'Zo'n ramp is het niet,' zegt de psychiater. 'Wees blij dat je sowieso een clitoris hebt.'

'U hebt makkelijk praten, ' zegt Linda. 'Hoe zou u het vinden als uw ballen in uw oren zaten?'

'Dan kon ik mezelf horen klaarkomen,' antwoordt de psychiater opgewekt.

Als alle omstreden kunstwerken is *Deep Throat* een film die men naar believen mooi of lelijk kan vinden. Camerawerk en acteerprestaties zijn even woordenrijk geloofd als gelaakt. Ongeestig is de film in ieder geval niet. Dat maakt *Deep Throat* tot een witte raaf in de wereld van de commerciële seks, waar kapitalen worden verdiend maar nimmer wordt gelachen. De tweede verdienste van de film is de ongehoorde invloed die hij heeft gehad op de publieke discussie over zeden en moraal. Zowel in de Verenigde Staten, waar hij werd gemaakt, als in de rest van de wereld, waar hij een schandaal werd, en dus een onovertroffen kassucces.

Laat ik mij beperken tot de invloed van *Deep Throat* op Nederland, de zelfverklaarde libertaire vrijstaat in een betuttelende wereld, hetzelfde Nederland dat nogal bevangen reageerde toen Linda Lovelace zich opmaakte om de vaderlandse bioscopen te veroveren.

Men herinnere zich de culturele situatie in de lage landen in de eerste naoorlogse decennia. Er werd verdienstelijk gemusiceerd, er werd niet zonder talent geacteerd en de dichters (de Vijftigers) en de schilders (Cobra) konden zelfs op een reputatie van vooruitstrevendheid bogen. De films kwamen echter uit de diepste provincie naar boven geborreld: *Sterren stralen overal* en *De wondere wereld van Willem Parel*, verwaarloosbare meters celluloid, even kuis als het wat kleurrijker amusement dat uit de Verenigde Staten werd geïmporteerd.

Seksloos waren de cinematografische heldinnen van die tijd niet, maar hun aantrekkelijkheden waren met zoveel strikken en kwikken gecamoufleerd dat er voornamelijk iets te raden was. 'Het waren veelal de borsten en de benen die intrigeerden,' schreef Hans Keller, 'bewaakt door splitrokken, strapless avondjurken en de natte badpakken van Esther Williams, druppels op haar dijen en frummelend aan haar schouderbandjes zodat de hele zaak op en neer bolde. Van pure geilheid was sprake toen bleek dat Yvonne de Carlo, dansend voor de wrede sultan, behaarde oksels had. Zwarte, bezwete haren en geen bh onder een lubberende zijden blouse.'

Totdat op het kruispunt van de jaren vijftig en zestig de nouvelle vague zich aandiende, het filmisch stijlmiddel van François Truffaut, Alain Resnais, Jean-Luc Godard en Louis Malle, katholieke jongens die iets met hun roomse verleden hadden af te rekenen. De diverse filmkeuringen, de katholieke en niet-katholieke, deden alles om hen buiten de bioscoop te houden. *Jules et Jim* werd 'ontraden'. *Hiroshima, mon amour* was 'om morele bezwaren onaanvaardbaar'. *Les Amants* was 'ontoelaatbaar', 'ook na de coupures'.

Hoe de mores van de Katholieke Filmkeuring waren, laat zich raden. De commissie was geformeerd uit verwijwaterde slippendragers van de paus. Deze had het artistieke oordeel gedelegeerd aan de r.k. huisvaders en huismoeders 'opdat de film, welker invloed zoo geweldig is, ophoudt een instrument van verlaging te zijn en een leerstoel worde van zieleadel en deugd'. De Centrale Commissie voor de Filmkeuring was niet minder conservatief, alleen al omdat daarin het piëtistische volksdeel proportiegewijs was ondergebracht.

Het was een van de vele instituties waartegen hoognodig de culturele revolutie moest worden uitgeroepen. Zo deed dus het vrijgevochten weekblad *Vrij Nederland* door op een zonovergoten zondagnamiddag in april 1966 alle leden van de Filmkeuring systematisch af te bellen. Het resultaat was verwoestend: louter lange tenen en bevoogdend burgermansfatsoen. 'Ik kan zeggen dat de Filmkeuring over het algemeen doet wat in het belang is van het Nederlandse volk,' zei keurder mr W.H.B. Overbosch. 'Er zitten ook rooms-katholieke geestelijken bij', verklaarde keurster J.J. Booy-Van Staveren, 'en ik moet zeggen, daar bevinden zich allercharmantste lui onder. Die zijn lang niet altijd de zeepneuzigste.' Blijkens het credo van keurder mgr W.A.E. Bokeloh, deken te 's-Gravenhage, oordelend over Louis Malles *Les Amants*: 'Mijn grote bezwaar was dat men naar mijn mening op het filmdoek de gewone... laat ik maar zeggen "de huwelijkshandeling" niet kan uitbeelden. Ja, dan kàn toch niet, afgezien nog van de prikkeling die er van uit kan gaan. Hoeveel verloofde stelletjes gaan er niet naar een film toe?'

Totdat Linda Lovelace een paar jaar later, in 1973, besloot wereldwijd haar kunstje te demonstreren, hiermee de hele publieke moraal, de katholieke moraal niet in de laatste plaats, op losse schroeven zettend. Zelf was zij als een keurig katholiek meisje opgevoed. Op school werd zij Holy Holy genoemd, dezelfde school waar het dragen van lakschoenen verboden was omdat je via de spiegelende neuzen wellicht de meisjes onder de rok kon kijken. Eigenlijk wilde Linda non worden. Maar ja, de mannen hè, met name die dekselse Chuck, die haar de grondbeginselen van de fellatio bijbracht, ten behoeve van hem én zijn verrukte relaties. 'En dan vertelden ze het natuurlijk aan een vriend,' releveerde Linda, 'zodat ik die ook onder handen kon nemen. Chuck was er erg blij mee. Hij noemde het mondreclame.'

Via Chucks mini-filmmaatschappijtje betrad zij, met haar speelse tong, de cultuurgeschiedenis. Het publiek keek zijn ogen uit. Geen krant die geen oordeel – positief of negatief – over de rolprent had. Interviewers stonden in rotten van vier op de drempel van haar burgermanswoning.

'Wat was de grootste pik die u ooit hebt afgezogen? Die van die knaap in de film? Was er ooit iemand zo zwaar geschapen dat je er geen raad mee wist?'

'Nee. Unn – unnnhhh,' antwoordde de kunstenares.

Fellatio, liet zij weten, was een sociaal gebeuren. Met gemengde gevoelens nam de paus kennis van het feit dat zijn afgedwaalde schaapje zei fellatio 'in deze tijd van bevolkingsexplosie een prima voorbehoedmiddel' te vinden. 'Wat werkelijk obsceen is, dat is armoede, geweld en bekrompenheid,' meende ze. 'Wij zijn allemaal geboren met geslachtsorganen, maar niemand is met een pistool ter wereld gekomen. De staat zou het geld dat jaarlijks wordt verspild aan anti-pornografieprocessen beter aan andere dingen kunnen besteden, zoals het bestrijden van armoede, of aan het onderwijs, ook op seksueel gebied.'

Waarom is haar film (een uur en twee minuten, vijftien seksscènes, inclusief zeven proeven van fellatio en vier proeven van cunnilingus) zo'n succes geworden? De filmtheoretici wijzen op het feit dat het eigenlijk een parodie op het genre is, anders dan de doorsneeporno, waarin de copulerende koppels voornamelijk naar hun cheque liggen te verlangen. Nu was je, als intellectueel, plotseling artistiek gelegitimeerd: een film die het voornaamste gespreksonderwerp op de buurtfeestjes was, kón immers geen zonde zijn.

Het meest doorslaggevende element was echter de authenticiteit van het vertoonde. Linda Lovelace had zichtbaar plezier in haar werk. 'And introducing Linda Lovelace as Herself' vermeldden de credits van de film. Zij was 'the girl next door', de huisvrouw uit het midden van de vs, niet overmatig mooi, niet onbereikbaar welgeschapen, en uit aandrift en overtuiging tot seksuele activiteiten bereid waarvan 'the boy next door' alleen maar kon dromen.

De film kwam in 1974 naar Nederland, op initiatief van Christine le Duc, groothandelares in dildo's, Mexicaanse vliegen en opblaasbare prikkelpoppen. 'Het heeft natuurlijk geen enkele zin om *Deep Throat* aan de Filmkeuring voor te leggen,' verklaarde haar bedrijfsleider. 'De heren zouden halverwege de voorstelling huilend weglopen.' Om over de dames maar te zwijgen. De artistiek adviseur van het Amsterdamse theater Parisien, over zijn ervaringen met een vrouwelijke keurster van een heel wat onschuldiger film: 'Die zag een scène waarin een man stond en die vrouw ging voor hem op de knieën zitten. Toen zei ze: "Waarom trekt die man daar zo'n vreemd gezicht?" Ze wist kennelijk helemaal niet dat zoiets bestond.'

Deep Throat was even eerder op last van de minister van Justitie mr A.A.M. van Agt uit Parisien verwijderd (en vervangen door de film *Duizendeneen obsceniteiten*), een paar maanden nadat de film in het Maastrichtse Palace-theater in beslag was genomen (en vervangen was door *Slipje uit voor de badmeester*). De rechtbank in Maastricht legde een boete op van vijfduizend gulden; de dagvaarding had gesproken over 'mannen en vrouwen die op veelal uitdagende, brutale, wellustige, ontuchtige en/of schaamteloze wijze vaginaal en/of anaal en/of oraal geslachtsverkeer met elkaar hadden'.

De rechtbank in Amsterdam verwoordde daarentegen de vooruitstrevende mores van de grote stad door de gedaagden vrij te spreken, een vonnis dat zowel door het gerechtshof als door de Hoge Raad werd bevestigd. Kern van de justitiële overweging was dat het vertoonde niet strafbaar was omdat het publiek wist wat het te wachten stond. De film werd immers niet vertoond in de etalage van een drukke winkelstraat maar in het schemerduister van een bioscoop, die van tevoren met grote letters had laten weten: 'U bent gewaarschuwd: harde porno!'

Daarmee waren de bezoekers 'op ondubbelzinnige wijze' gewezen op het 'wat de eerbaarheid betreft bijzondere karakter van de film', waarmee de overheid in feite ontslagen was van de vermeende plicht de lagere lusten te reguleren. Het was een regelrechte nederlaag voor Van Agt, de man die geprobeerd had de filmische prikkels onder te brengen in zweterige bioscoopjes van 49 stoelen (en geen stoel méér), alsof de publieke moraal, wat dat ook moge wezen, met een dergelijke cijfermatige benadering zou zijn gediend. Het justitieel apparaat, de Tweede Kamer en de Eerste Kamer keerden zich tegen deze constructie. Wat de bewindsman er evenwel niet van weerhield een heldere wetgeving jaren en jaren te traineren, daarmee 'zijn eigen geweten hoger stellend dan onze parlementair-democratische beginselen', zoals het *Nieuwsblad van het Noorden* in ongewoon scherpe bewoordingen constateerde.

Het was een echte scheiding der geesten, die niet beter kan worden geïllustreerd dan aan de hoofdartikelen van twee andere noordelijke kranten. Het eerste verscheen in het christelijk-nationale *Friesch Dagblad*, dat zei niets van 'het vieze schuim dat over de stranden spoelt' te willen weten. De liberalen en socialisten waren zo eensgezind tegen Van Agt omdat ze in hem 'de principiële tegenstander van de libertijnen' herkenden. Gelukkig was de libertijnse geest niet alomtegenwoordig: 'Hij is machtiger in de salons van de nieuwlichterij dan in de huiskamer van arbeider en boer, waar men nog met eerbied spreekt over "moeder de vrouw" en bij intuïtie aanvoelt waar de grenzen liggen tussen vrolijke scherts en gemene praat, en waar men te eenvoudig is om te genieten van pikante dubbelzinnigheden, kortom, waar fatsoen en schaamtebesef nog een normerende betekenis hebben.'

De regionale concurrent, de *Leeuwarder Courant*, probeerde op zijn beurt uit te leggen 'waar het om gaat': de ene volwassene diende de andere niet voor te schrijven wat mag en niet mag. 'Er zijn honderden redenen om de film *Deep Throat* een onsmakelijk, mal produkt te vinden. Maar dat is het punt niet. Het gaat erom dat er in ons land nog altijd autoriteiten fungeren, die menen dat andere volwassenen daarover niet zelf mogen en kunnen oordelen. Autoriteiten die dwars tegen een parlementaire meerderheid in trachten de natie hun eigen zedenmeesterij op te leggen – en dat is ook een vorm van onzedelijkheid.'

Van Agt en de zijnen hadden in die tijd in feite nog maar één bondgenoot, beter gezegd, een bondgenote: De Verschrikkelijke Sneeuwvrouw, de onbekookte zetbazin van de vrouwenbeweging. 'Dat 49-stoelenbeleid van Van Agt, dat vond ik prima.' Tijdens een Heksennacht ging de club demonstrerend de straat op en zong: 'Wij gaan het leren, wij gaan castreren/ voor de vrouw, voor de vrouw, voor de vrouw, vrouw, vrouw./ Niet langer lullen, castreer die knullen/ Dan zijn wij er mooi van af.'

De Verschrikkelijke Sneeuwvrouw heeft inmiddels haar strijd tegen de porno opgegeven. *Deep Throat* oogt nu als een antiquarische vorm van lustbeleving, de frivole zuster van *Sneeuwwitje en de Zeven Dwergen*. En het door Van Agt en zijn erfgenamen beoogde ethisch reveil heeft nauwelijks meer een politieke basis. 'Tien jaar na *Deep Throat* slaat de balans in positieve richting door,' schreef het filmblad *Skoop* in 1982. De Filmkeuring is afgeschaft en 'de expliciete filmseks heeft het getto van bordelen en louche kroegen verlaten'.

Er valt niets meer te keuren, laat staan af te keuren. Commerciële seks is tegenwoordig vrijuit verkrijgbaar in het videocircuit, waarin de consument zich zijn visuele smeerpijperij aanschaft met dezelfde routine waarmee hij elders in de straat een pakje boter koopt. Alles mag, alles kan. De vrouw is baas in eigen buik, man én vrouw zijn baas in eigen onderbuik en dat is – hoe weinig verheffend de handel van Christine le Duc en Beate Uhse nog steeds zijn – in liberale zin een soort vooruitgang.

Hij is zichzelf altijd, tot in het telefoonboek toe, journalist blijven noemen, ook in de jaren waarin hij in werkelijkheid de geur van lood en drukinkt allang was ontwend.

Hij gold bij leven en welzijn als Amsterdams eigen hoogfijne opa, maar heeft in werkelijkheid een half mensenleven lang in 's-Gravenhage gewoond, een gemeente die in Amsterdam wordt geassocieerd met kouwe aardappelen en Haagse bluf.

Hij geldt niet zozeer als de uitvinder, maar als de vervolmaker van de column, welks inhoud hij, anders dan de meeste collega-columnisten, veelal aan het dagelijks leven ontleende. Diep in zijn karakteristiekc regenjas gestoken drentelde hij in de richting van het buurtcafé en noteerde de ene wisecrack na de andere, hem per strekkende meter geleverd door breekbare grijsaards met evenveel levenswijsheid als gezonde dorst.

Waar haalde hij ze vandaan! Elke geroutineerde cafébezoeker weet wat het lot is als je in handen van zo'n breekbare grijsaard valt: alcoholdoordesemd geouwehoer, meestal over Turken en/of Marokkanen.

Simon Carmiggelt (1913-1987) had echter een ontwikkeld gouddelversinstinct voor stadgenoten die garant stonden voor zijn dagelijkse driekwart kolom snakerijen. Hij staat daarom bekend als de specialist in 'Amsterdamse humor', in werkelijkheid stadse humor die net zo goed op het asfalt van Rotterdam of desnoods dat van Den Haag kan worden gesitueerd.

Drie voorbeelden:

'Ach meneer', zei de agent, 'als je op z'n neus drukt komt er vergunning op zijn voorhoofd te staan.'

'Ik denk wel eens', zei de taxichauffeur, 'die is bij 't visbakken uit de pan gesprongen.'

Morsige hond sluipt een broodjeszaak binnen. Zegt een aanwezige querulant tegen de eigenaar: 'Daar staan wéér vijftig kroketten...'

Het betreft hier een Haagse agent, een Haagse taxichauffeur respectievelijk een Haagse querulant. Hun slagvaardigheden zijn afkomstig uit de rubriek 'Kleinigheden', het cursiefje dat de jonge Carmiggelt vier jaar lang – van 1936 tot 1940 – verzorgde voor de *Vooruit*, de Haagse editie van *Het Volk*, het vooroorlogse dagblad van de sociaal-democraten.

Het was de tijd van het rijwielplaatje en het gezondheidszadel. Het was de tijd van Shirley Temple, Willem Mengelberg, Hedwig Courths-Mahler en Adolf Hitler. Een getrouwde vrouw uit een volksbuurt werd met 'juffrouw' aangesproken. Door typische Haagse verschijningen, ambtenaren ter griffie, met lorgnet, bolhoek en grijze snor. Deze heerachtige individuen gingen in smoking naar de premières in de Koninklijke Schouwburg, vergezeld door dames in sleprok. De socioloog Peter Hofstede heeft de vooroorlogse 'Haagse deftigheid' geanalyseerd als een mengsel van protestants-christelijke ethiek met de geest van het Indische kapitaal. 'Na het faillissement van beide bleek de leidinggevende burgerij haar macht te hebben verloren.'

Carmiggelt woonde toen, tot zijn opluchting, al in Amsterdam.

In zijn nieuwe dagblad, *Het Parool*, zag hij met vertedering op de stad zijner jongelingsjaren terug. Werkelijk, verzekerde hij de ongelovige Amsterdammers, Den Haag was méér dan een gemeente waar de slagersknechten de biefstuk onder de deur door schuiven. Zoekende naar de voortreffelijkheden die de residentie van de hoofdstad onderscheidden, kwam hij echter niet verder dan de respectievelijke wijze waarop men hier en daar de haring consumeert: in Amsterdam – precieus – met een houtje, in Den Haag – zoals het hoort, het ligt immers dichter bij zee – door de vis bij de staart te pakken om hem vervolgens verticaal de hongerige gestalte in te schuiven.

De grondbeginselen van het vak leerde Simon Carmiggelt, zoals alle journalisten, bij de schoolkrant. Het was *De Schakelaar*, orgaan van vierentwintig Haagse middelbare scholen. 'Daar zaten we dan met vierentwintig jongelieden. Twaalf lelijke jongens, die zo aardig konden schrijven, en de twaalf heerlijkste meisjes van die scholen, door ons gekozen als tweede redacteur.' Hij begon als vijftienjarige en eindigde als achttienjarige. Nu is dit de leeftijdscategorie der jeugdige volwassenen, toen waren het nog kinderen die – zoals Simon – parmantige dingen over deze of gene onderwijskracht te berde brachten en brave gedichtjes over het sinterklaasfeest bij elkander rijmden. 'Sneeuw, volmaakte winterstemming. Alles zachtjes, geen geraas. Avond grauwig over de huizen. Gordijnen dicht: 't Is Sinterklaas.'

Er is weinig continuïteit tussen dit puberale gehakkel, in poëzie en proza, en de latere Carmiggelt, de auteur van even geslepen als elegante formuleringen. Wel ziet men al een spoor van Carmiggelts latere literaire voorkeuren. Hij schreef bijvoorbeeld (in 1930) een zeven jaar verlate recensie van Theo Thijssens *Kees de jongen* (1923), eindigend met de oproep: 'Laat ik u vooral met aandrang verzoeken: Léés dit eerlijke boek en het zal boeien van 't begin tot aan 't juichende einde toe.' Véél film- en toneelrecensies. Meestal met de hakbijl bedreven ('t Was waarlijk een Tantaluskwelling'), zoals het in de jongelingsjaren gaat. Een enkele keer lovend, zoals die avond dat hij, met blocnote op de blote knieën onder de korte broek, zijn kritisch licht over het blijspel *Schoenen* liet schijnen: 'Het komt niet veel voor dat we ons zoo definitief "toejuichend" over dilettanten-prestaties kunnen uitlaten, maar dit keer kunnen we toch niet anders doen dan én Ank van den Moer en W. Kan de klassieke "groote pluim" te geven voor hun uitstekend spel. Na de pauze werd gedanst op de "hotte" klanken van "The Society Syncopators".'

Hij kwam uit een verlicht middenstandsmilieu. Zijn vader verkocht overdag hoeden en petten en las 's avonds boeken. Jan, de oudere broer, zou Simon voorgaan als journalist bij *Vooruit*, met muziek en economie als specialisme. Hun partij was natuurlijk de SDAP, rood, blauw, antifascistisch en antimilitaristisch. Of zoals Carmiggelt later zou dichten: 'Wij waren thuis de oorlog allerminst genegen... en sterke drank – ik was er vierkant tegen.' In *De Schakelaar* publiceerde hij de bijpassende waarschuwende woorden: 'Van werkelijke beschaving kan in Nederland pas sprake zijn, als alle kroegen zijn gesloten en Schiedam met de grond gelijk is gemaakt.' Dat er uiteindelijk niets van de sloop van 's lands jeneversmidse terecht is gekomen, kan achteraf gezien als een zegen voor de Nederlandse literatuur worden beschouwd.

Na zijn schooltijd volontairde Carmiggelt bij het conservatieve *Het Vaderland*, waar hij de stukken van een aartsluie collega schreef, om drie maanden later zelf wegens ogenschijnlijke ledigheid op straat te worden gesmeten. Gelukkig was er een vacature bij *Vooruit*. Deze krant werd op idealistische basis gemaakt, door verslaggevers die een socialistisch hongerloon verdienden, bijgestaan door vrijwilligers die de tram hadden bestuurd en nu in negentiende-eeuws proza de verenigingsavonden versloegen. Daarbij vergeleken was de kersverse, negentienjarige verslaggever een profi. Hij deed de moorden en branden, openingen en vele, vele vergaderingen van voor- en tegenstanders. In die zompige lokaaltjes heeft hij, naar eigen zeggen, de vervelendste uren van zijn leven gesleten, 'aan de voeten van redenaars over het eten van schijngehakt, het nalaten van boze aanwensels, het geloof in bovenzinnelijke dingen en het naakt lopen uit overtuiging'.

Toen hadden de kranten nog belangstelling voor het gewone kleine-mensennieuws: 'Met zijn ladder omgevallen.' 'Rijwieldief betrapt.' 'Konijnen gestolen – Uit een schuur in een der volkstuintjes aan de Loolaan zijn acht konijnen gestolen. Men had de toegangsdeur opengebroken.'

Of: 'Meisje breekt haar been.' 'Lichtbeeldenavond De Natuurvriend.' 'Ouderavond school de la Reynes – Nadat de jeugdgroep van de Nederlandse stucadoorsbond enige zeer verdienstelijke muziekstukjes ten gehore had gebracht, werd gepauzeerd en een kopje thee geschonken.'

Er bestaan wat foto's uit Carmiggelts prille journalistentijd. De jonge man, in driedelig kostuum lezend in zijn kamertje, een stapeltje boeken op het bureau, beschenen door een Bauhauslamp. Carmiggelt, een stoere sigaret tussen de lippen, aan een tafel gezeten met zijn zeven *Vooruit*-collega's, onder aanvoering van de vervaarlijke Klaas Voskuil, de latere hoofdredacteur van *Het Vrije Volk*. Carmiggelt op boksles, want hij had ook de nazi's in zijn portefeuille.

Dat was geen gemakkelijke klus. Men stelle zich voor hoe de verslaggever tijdens een NSB-bijeenkomst aan de perstafel zat om publiekelijk door zo'n leidinggevende zwarthemd te worden gekapitteld. 'Kameraden en volksgenoten,' sprak de man, 'in deze zaal is een verslaggever aanwezig van Het Liegt, het infame, rode dagblad der Joodse plutocraten...'

'Sla hem dood!' riep iemand.

'Neen, kameraden en volksgenoten,' zei de leider, 'wij zullen hem geen kwaad doen, wij zullen hem alleen leren de waarheid te schrijven.'

Zo word je, ondanks je principes, het café ingejaagd, vrijplaats met volledige vergunning, waar je je wonden kan likken. Carmiggelt schreef er 's morgens zijn stukjes, terwijl elders in het etablissement aankomende grootheden als Paul Steenbergen, Caro van Eyck, Max Nord en Wim van Norden hun eerste kop koffie dronken. Het café was inmiddels, sinds hij zijn eigen cursiefje had, een onmisbare bron van inspiratie geworden. De ober was toen nog een 'obertje', droevig sloffend in de richting van het buffet, onder waterig toezien van grote, blozende mannen, 'ten prooi aan alcoholische verhitting'. Na een wat moeizaam beginjaar had Carmiggelt de fundamenten gelegd van de sierlijke, pirouettesque stijl die zijn handelsmerk zou worden.

Tussen de regels door paradeerden zijn favoriete schrijvers. Heijermans. Tsjechov. Raymond Chandler moest hij nog ontdekken. Kurt Tucholsky speelde pas na de oorlog een rol in zijn leven. Carmiggelts grote, Antwerpse voorbeeld, daarentegen, schrijver van vergelijkbaar, kraakhelder proza… 'Maar Elsschot zeide al, dat tussen droom en daad practische bezwaren in de weg staan.'

Zelf introduceerde Carmiggelt de sukkel in de Nederlandse letterkunde.

'Het is waar, zei ik. Het klonk flets.'

'Da's leuk, zei ik. Onze dialoog was niet van Shaw.'

Zijn antihelden droegen niet zelden een opstaand kuifje, wat mogelijk de mode van die dagen was. Zij hadden namen als Kereweer, Van Drimmelen, Maneschijn, Galgmans, Koosemeijer, Koelemans en Gertemeijer, namen die men zelfs in het Haagse telefoonboek niet zal vinden. Zij speelden hun rolletje in Carmiggelts burleske periode, een scheppingsfase die door de orthodoxe carmiggeltianen eigenlijk wordt gewantrouwd, want zij zien de schrijver liever geassocieerd met het Circus Melancholica uit zijn latere jaren, toen hijzelf een breekbare grijsaard met de bijbehorende oudedagsfilosofieën was geworden. De vrolijke, speelse, onbezorgde, nonsensicale, vooroorlogse Carmiggelt schreef echter reeds in zijn Haagse tijd kolderproza dat zelden meer is geëvenaard, zelfs niet door de naoorlogse Carmiggelt.

Er wandelden, reeds toen, veel katten door zijn oeuvre. Soms een hondje, dat meestal Takkie heette. En veel kinderen, bewaakt door vrouwen de 'de moedertrots beoefenden'. Met name zijn jongste kind, het zoontje, werd de lezers als een dekselse schavuit gepresenteerd, die ruiten ingooide ('Ik voor mij geloof, dat hij graag glasgerinkel hoort, maar zo'n fatale voorkeur dient krachtig onderdrukt') en baldadig 'Dag Pieperdepa!' tegen zijn vader riep, even nadat hij diens postzegelalbum aan de schillenboer had geschonken.

Den Haag was uiteindelijk toch geen stad voor hem met al die Haagse dames die allemaal Van Uffelen (van zichzelf een freule Hardenboer) heetten. Hij voert in een van zijn stukjes zo'n lokaal secreet op, dat bij haar wijnhandelaar protesteert tegen het feit dat de nota aan mevrouw Tets Thoe Sloten-Gravemeijer van Oord was geadresseerd, in plaats van ('Heus meneer, u hoeft bij mij met al dit rooie gedoe niet aan te komen') aan douarière G.F.H.J.W.L. Tets Thoe Sloten-Gravemeijer van Oord. Carmiggelt moet die 'sublieme Haagse dames' hebben gehaat, met hun 'koude lachjes' en hun 'manier van spreken die nèt één salarisklasse te deftig is'.

De Haagse heren waren trouwens eveneens een slag apart. Roodhoofdig van de port zat de soort in de sociëteit en zei 'boy' tegen de kelner, 'blijkbaar vergetend dat hij niet meer in Indië was'. *De Telegraaf,* deze 'fraai verzorgde gesel der beschaving', was hun lijfblad en zij vonden zonder uitzondering, zonder NSB'er te zijn, dat Anton Mussert een kans moest krijgen.

Een aantal van deze 'Kleinigheden' zijn later in Carmiggelts eerste bundels, *Vijftig dwaasheden* (1940) en *Honderd dwaasheden* (1946), afgedrukt. Zijn andere rubriek, 'Voor den politierechter', is echter onder het stof der vergetelheid begraven. Eveneens drie stuks per week, eveneens in de jaren 1936-1940 gepubliceerd.

Het was misschien geen grote journalistiek, maar gaf een scherp, onbehaaglijk stemmend beeld van al die ellende in de crisistijd.

Een bedelares had de pech gehad ('Ach, geef me een centje, want ik ben zo arm') uitgerekend een politieagent aan te spreken. Twee jaar Veenhuizen.

Een handelsreiziger had in zijn drift een andere agent de woorden toegevoegd: 'Jij bent gek, je hebt geen hersens in je kop.' Twee maanden cel.

Een timmerman had in zijn logement wat kleingeld gejat. 'Waarom deed je dat eigenlijk?' vroeg de politierechter. 'Dat bennen de toestanden,' zei de verdachte. Twee maanden cel.

Een werkloze had een paar broden gestolen. 'Dat kunnen wij toch niet toestaan?' verzuchtte de officier van justitie. 'Tja, u moogt dit toch niet doen?' sprak de politierechter. 'M'n kinderen hadden honger', zei de verdachte. Eén gulden boete.

Beroerd waren zij niet, de heren van de zittende en staande magistratuur. Wel waren zij standsbewust, de gevangene van hun milieu, en dus tutoyeerden zij de verdachten. Hun vonnissen ogen, met moderne ogen bezien, vaak extreem zwaar, maar eigenlijk konden de straffen die schlemielen, zwervers, landlopers en spiritusdrinkers niet zwaar genoeg zijn; zij werden liever tot twee dan tot één jaar Veenhuizen veroordeeld, want dan hadden zij in elk geval twee jaar lang te eten en te drinken, ook al was het slechts water en brood.

Simon Carmiggelt schreef het allemaal op, getoonzet op het authentiek socialistisch sentiment dat hij na de oorlog nooit zou verloochenen, ook al stond hij, wijs geworden, inmiddels op de behoudende vleugel van de sociaal-democratie. Hij had lering getrokken uit de jaren van oorlog en verzet. De vooroorlogse neutraliteitspolitiek van zijn SDAP, wist hij inmiddels, was een grote fout geweest. 'Wij waren wel verschrikkelijk antifascistisch,' zei de schrijver in een interview met *Maatstaf* (1970), 'maar aan de andere kant waren we zo defaitistisch als wat met onze gebroken geweertjes. We wilden Hitler bestrijden, maar tegelijkertijd hebben we het leger tot de grond toe geslecht. Ik weet nog altijd dat een socialistisch kamerlid zei: "Als de Duitsers komen, waarmee wil je ze dan tegenhouden? Met een eierlepeltje?" We vonden het schandelijk dat die man dat zei, maar hij had groot gelijk.'

Hij maakte als midtwintiger, ondanks al die ideologische ellende, een frisse en gelukkige indruk. En hij wist: ik ben nu nog een schraal betaalde waterdrager bij een verwaarloosbaar dagblad, maar ik schrijf beter dan wie ook, en dat zal zich straks kapitaliseren. Het waren voorlopig dagdromen, die door de oorlog werden doorkruist. De Arbeiderspers, de uitgeefster van de socialistische periodieken, telde tweehonderd journalisten, van wie drie man onmiddellijk ontslag namen toen het bedrijf in 1940 onder het toezicht van een nationaal-socialistische Verwalter werd geplaatst. Het waren de verslaggever Lex Althoff en de broers Jan en Simon Carmiggelt.

Simon was qua aandrift evenmin een held als al die antihelden uit zijn driemaal wekelijkse rubriekje, maar hij wenste 's morgens in de spiegel te kunnen kijken 'zonder te hoeven braken bij zoveel lafheid'. Mijn lieve God, het is allemaal – behalve met Simon – slecht afgelopen. Jan Carmiggelt, die joden hielp, stierf in een concentratiekamp. Lex Althoff, een van de medeoprichters van *Het Parool*, een illegaal blad waarbij Simon Carmiggelt inmiddels tot zijn nek toe betrokken was geraakt, werd doodgeschoten.

Hij scharrelde ondertussen om den brode wat met een obscuur blaadje dat *Deze Week in Den Haag* heette. Het was een comfortabele schnabbel: zijn redactionele bijdragen ontleende de schrijver vrijwel zonder uitzondering aan de 'Kleinigheden' die een paar jaar eerder in *Vooruit* waren verschenen. Hij werkte ondergronds. maar wat doe je ondergronds in Den Haag in de wetenschap dat de ware vlam van de antifascistische revolutie allang in Amsterdam ontstoken is? Dus verhuisde het gezin Carmiggelt, man, vrouw en twee kinderen, in 1944 naar de – tijdelijk onder buitenlands beheer staande – vrijstaat bezijden het IJ.

De nazi's werden een paar maanden later weggejaagd, het ondergrondse *Parool* werd bovengronds en ontwikkelde zich die eerste naoorlogse jaren tot hét toonaangevende dagblad van Nederland, mede dankzij de Amsterdamse humor, als geen ander gesymboliseerd door...

'Amsterdamse humor bestaat niet,' zei de cabaretière Conny Stuart. 'Het is importhumor uit Den Haag.'

IX
MAATSCHAPPELIJK MENGELWERK II

Eerst was er, bij verschijning, de algehele aan euforie grenzende ontsteltenis. 'Toen ik diep in de nacht het boek uithad,' schreef J.J. Buskes in *Hervormd Nederland*, 'wist ik dat wij het op nog geen stukken na weten en dat ons volk het voor het grootste gedeelte nog helemaal niet weet.' 'Het sprookje is uit,' constateerde Han Lammers in *De Groene Amsterdammer*, 'het fabeltje van het kleine Nederland dat zich zo voorbeeldig tegenover zijn joden heeft gehouden.' En ondertussen vloog *Ondergang* (1965), Jacques Pressers boek over de liquidatie van het Nederlandse jodendom, met tienduizenden exemplaren de boekwinkels uit.

Na de euforie volgde de kater. Etappegewijze. Eerst werd over de rug van Presser (1899-1970) heen de Weinreb-affaire uitgevochten, de joodse Uilenspiegel, die door Presser was omschreven als de nationale zondebok van een natie die al te goed besefte dat ze haar bedreigde landgenoten in de steek had gelaten. Na de dood van Presser gaven steeds meer historici blijk van een zekere reserve jegens de particuliere wijze waarop hun collega 'de vervolging en verdelging van het Nederlandse jodendom' in kaart had gebracht. De gedachte won veld dat het minder gelukkig zou zijn geweest de opdracht te gunnen aan een man die, als jood, onmiskenbaar vanuit een parti pris had geschreven. De geschiedschrijving was inmiddels, als zoveel in de maatschappij, verzakelijkt en dit gold ook voor menige historische studie die slechts werd geaccepteerd als zij de kilheid van een naslagwerk uitstraalde. Ondertussen was *Ondergang* (te weinig voetnoten, te emotioneel, geen context) gedegradeerd tot het voorbeeld van hoe het níet moest.

Presser had zijn boek echter niet geschreven voor dat groepje vak-genoten, maar voor het grote publiek, het publiek dat al te lang met de leugen van het eensgezinde verzet tegen de Duitse over-heerser had geleefd. 'Datgene wat nauwelijks te vertellen is, heeft hij tóch willen vertellen', aan de overlevenden in naam van de over-ledenen, constateert zijn biografe Nanda van der Zee. Toch leek zijn ster zinkende. Het r.-k. weekblad *De Tijd* ('Pressers Onder-gang deugt niet') permitteerde zich zelfs de vraag 'of de honderd-veertigduizend vermoorde joodse landgenoten geen objectiever dus beter getuigenis van hun lijden hadden verdiend'. De Tijd ver-zuimde de lezer uit te leggen hoe het in mogelijk is objectief tegen een wolkenkrabberhoge berg lijken aan te kijken.

Dat kon Presser niet. Hij was zelf een overlevende, nooit over het verlies van zijn in Sobibor vergaste vrouw heen gekomen, en hij heeft, nadat hij de opdracht kreeg de ondergang van het Neder-landse jodendom te documenteren, vijftien martelende jaren ach-ter zijn schrijfbureau doorgebracht. 'Menigmaal heb ik hem wan-kelend, doodsbleek, met van verdriet verwrongen gezicht ons In-stituut zien verlaten,' zei zijn vriend, leerling en opdrachtgever Loe de Jong, in een herdenkingsrede na Pressers overlijden.

Een van zijn andere leerlingen, Gerard van het Reve, heeft hem, tussen de gebruikelijke vlasbehaarde vossenholen door, geportret-teerd in *Moeder en zoon* (1980). Presser was de aardigste leraar van het Vossiusgymnasium, zegt de schrijver, zij het met een patholo-gische behoefte bemind te worden. Hij was briljant en erudiet, maar helaas, hij had geen eigen smaak. 'Presser vond in de beeldende kunst mooi, wat merkwaardigerwijze altijd door de afbeeldingen op kalenders en in schoolagendaas definitief gekanoniseerd was: het Parthenon; de Mozes van Michelangelo; de Nachtwacht en dat laatste zelfportret van Rembrandt; alsook het pasontdekte doek

De Emmaüsgangers van Vermeer – dat pas veel later door heel iemand anders geschilderd zou blijken – welk laatstgenoemd schilderij hij ons bijna met tranen van emootsie bezong.' Zo ook de literatuur: 'Een smaak zonder risikoos, die zich hield aan Homerus, Dante en Goethes Faust, typisch de meesterwerken waarvoor iedereen geknield ligt, maar die niemand, als hij het zelf voor het zeggen heeft, belieft te lezen.'

Het is ferme, maar faire kritiek op een briljante docent, geformuleerd door een man die zichtbaar met zijn verwijten heeft geworsteld. Niettemin heeft Van het Reve blijkbaar geen begrip voor de bron van Pressers persoonlijke en didactische bezetenheid. Presser, het op het Waterlooplein geboren kind van een diamantbewerker, woonde in die klassieke cultuur. Er zal zich zelden iemand met zoveel hartstocht op kunsten en wetenschap hebben gestort als de jonge Presser om, op de vleugelen van Apollo, aan het getto te ontsnappen. Hij vroeg (en kreeg) voor zijn barmitswa Ovidius' *Metamorfosen*, de pianosonates van Mozart en een tweedehandse *Winkler Prins* die hij vervolgens van de letter A tot de letter Z heeft gelezen. Hij was natuurlijk de eerste van zijn klas. Daarna was hij de briljantste student van zijn lichting. Kroegjool? Tijd- en energierovend corpsvertier? Geen sprake van. 'Ik was geen student, ik studeerde.'

En toen hij eenmaal alles wist, wenste hij, eerst als leraar, later als hoogleraar, zijn discipelen te enthousiasmeren voor alles wat 'goed en mooi' was, zoals hijzelf was geënthousiasmeerd, vooralsnog, het zij toegegeven, voor traditionele karrepaarden als Goethes *Faust*, Homerus' *Ilias* en Dantes *Divina Commedia*. Want: 'Wij zijn als Dante in een donker woud,/ tussen de wilde dieren die ons kwellen./ Besef van schoonheid, goedheid duizendvoud/ Doet onze harten van verwachting zwellen./ Misschien dat ook ons hart eenmaal aanschouwt/ L'amor que muove il sol e l'altre stelle.'

Hij had als leraar geschiedenis kunnen volstaan met het dorre instampen van de belangrijkste historische feiten. Zo niet Jacques Presser. Als hij in de klas de napoleontische bezetting van het Rijnland behandelde, las hij Heines *Buch le Grand* voor. Als hij een week later de strijkkwartetten van Schubert had ontdekt, sleepte hij zijn grammofoon mee naar school en liet zijn kinderen in de muzikale sensaties delen. Ik zie Loe de Jong en Marius Flothuis, een andere leerling, wel eens hoogbejaard door het Concertgebouw schuifelen en weet zeker: veel van wat zij aan kunstzin en maatschappelijk engagement vertegenwoordigen, hebben zij aan Jacques Presser, hun leermeester, te danken.

Hoffelijk was hij het oneens met wijlen Johan Huizinga, die de aankomende student voor de vorming tot een beschaafd mens naar de Middeleeuwen of het Romeinse keizerrijk placht te verwijzen. 'Dichterbij was hem te dichtbij,' constateerde Presser in zijn oratie. De historia hodierna 'leert al sinds Thucydides, Machiavelli, Hooft en Thiers niet alleen van en uit boeken, maar ook van mensen, niet alleen uit archieven, maar ook in de vergaderzaal, de wandelgang, ja, waar niet? Haar beoefenaar bezit boven alle anderen één voorrecht: hij is tijdgenoot.'

Er is met deze constatering iets merkwaardigs aan de hand. Want op het moment dat Presser deze woorden sprak, in 1950, had hijzelf uitsluitend met historisch materiaal gewerkt, noodgedwongen, want van Napoleon waren geen tijdgenoten meer in leven, terwijl de Tachtigjarige Oorlog ook door de historici definitief uitgevochten leek. Hoogstens zou men Pressers interpretatie van Napoleon eigentijds kunnen noemen, een verkapt traktaat tegen diens collega-dictatoren Hitler en Stalin.

Hij was zich van zijn tekortkomingen bewust. Vergeleken met de geschiedschrijvende reuzen van zijn tijd, Huizinga, Romein en Geyl, zo zei Presser vlak voor zijn overlijden tegen Philo Bregstein, was hij 'volstrekt de man van het zoveelste plan, altijd geweest en ook gebleven. Ik heb vrijwel niet getheoretiseerd en ik heb het vermoeden dat ik datgene wat dan nog aan theorie door mij naar boven is gehaald, zal moeten bestempelen als op zijn minst niet zo vreselijk houdbaar. Dat is geen valse nederigheid, maar dat is nu eenmaal bij mij zo gegroeid.' Niet zo vreselijk houdbaar? Dat valt toch onmogelijk van *Ondergang*, zijn magnum opus, te beweren, merkte Bregstein op. Nee, antwoordde Presser, ten aanzien van *Ondergang* was dit soort nederigheid misplaatst. Daarmee had hij inderdaad 'een steentje' tot de geschiedschrijving bijgedragen, 'en iets mogen maken dat relatief wel de moeite waard is'.

Presser begon aan *Ondergang* in hetzelfde jaar als zijn oratie, in 1950, gebruik makend van materiaal dat deze keer bezwaarlijk 'stoffig' of 'secundair' kon worden genoemd. Waarna de vijftien jaar durende martelpartij volgde waarin zijn onvolmaakte meesterwerk werd geconcipieerd. Aangrijpend, met hartenbloed geschreven, maar 'niet objectief', zeggen zijn critici tot op de dag van vandaag. Alsof Jacques Presser tot een dergelijke vorm van objectiviteit kon worden verplicht, alsof zoiets als objectiviteit sowieso bestaat, alsof er bij het beoordelen van moord en doodslag verschillende criteria bestaan, objectieve en subjectieve, alsof menselijk lijden het beste via waardevrije tabellen en staafdiagrammen in kaart kan worden gebracht.

Het was op een zondagochtend in juni 1941 dat de telefoon in huize Presser ging. Aan de lijn was Gerard van het Reve.

'Meneer, hebt u gehoord dat de Duitsers Rusland zijn binnengevallen?' vroeg hij.

'Nee,' zei Presser.

'Nou,' zei Van het Reve, 'ik vertel het u even. Weet u waarom ik het u vertel? Over een paar weken is de oorlog afgelopen, dan hebben de Duitsers zo op hun mieter gehad, dan is de oorlog uit.'

De aanstaande burger-schrijver had toen nog veel vertrouwen in de slagkracht van de 'histories-materialistiese, marxistiese wereld-beschouwing', zoals hij dit later in zijn portret van Presser zou noemen.

Hoe stond het trouwens met de verhouding tussen de Sovjet-unie en Presser zelf? Ook in dit opzicht vertoonde Presser – geassimileerde jood, deemoedig radicaal, tot universitaire waardigheid gestegen arbeiderskind – de handenwringende hybris, die hem een leven lang heeft gekenmerkt. Socialisme? Ja, natuurlijk. Wat anders? Je had, als joods arbeiderskind, het beschavingssocialisme van de sociaal-democraat Henri Polak en je had de jonge Sovjet-Russische variant. Daar stond een fundamenteel wantrouwen jegens het kapitalistische Amerika tegenover, hetzelfde Amerika dat later (mét de Sovjetunie) Europa van de nazi's zou bevrijden. Waarna de Amerikanen de wederopbouw van West-Europa ter hand namen, terwijl de Russen Oost-Europa annexeerden en hun tegenstanders liquideerden via schijnprocessen die niet zelden een onverbloemd antisemitisch karakter hadden.

Natuurlijk was Presser te intelligent om niet aan de communistische heilsleer te twijfelen. Een paar processen eerder, in het vooroorlogse Moskou, manifesteerde zich Stalins streven elke tegenstander uit de weg te ruimen. Dat oogde op het eerste gezicht niet als een reclame voor de vrije, humane, klasseloze maatschappij. 'Wij kwamen er niet uit,' zei Presser achteraf. Hij was tenslotte 'opgegroeid in een periode waarin ons omtrent de Sovjetunie de krankzinnigste, leugenachtigste nieuwsberichten bereikten. Wij mensen van links waren gedrild in ongeloof aan alles wat de Sovjet-unie zwartmaakte.'

Ik permitteer mij een hoogmoedig oordeel: Presser en de zijnen hadden, ondanks alles, beter moeten weten. Hij ontwikkelde zich na de oorlog onmiskenbaar tot het prototype van de fellow-traveller, met de beste bedoelingen pendelend tussen Oost en West, waarbij Oost uiteindelijk meer krediet kreeg dan het verdiende.

Jacques Presser was een typische gevoelssocialist die in zijn sympathie voor de onderliggende klasse soms de verkeerde bondgenoten koos, althans zich niet ondubbelzinnig genoeg van hen distantieerde. Daardoor was hij 'een gevaar voor de opgroeiende jeugd', oordeelde de confessionele pers toen hij in de eerste naoorlogse jaren hoogleraar aan de Gemeentelijke Universiteit Amsterdam dreigde te worden. Een gevaar voor de opgroeiende jeugd? Het was een onberaden en kortzichtig oordeel over een man die in de praktijk geen enkele boodschap aan Lenin of Mao had en zijn studenten veel liever uitlegde dat Mozarts opera *Die Entführung aus dem Serail* moet worden gezien als een pleidooi avant la lettre voor een humanitaire band tussen Oriënt en Occident, het mohammedaanse Turkije en het christelijke Westen.

Wat was er eigenlijk zo typisch marxistisch in zijn levensbeschouwing, behalve dat hij geneigd was de wereld te beschrijven als een stelsel van meesters en knechten, onderdrukkers versus onderdrukten, blank versus zwart, rijke joden versus arme joden? Helaas berust deze schematisch ogende voorstelling meestal op de realiteit, bijvoorbeeld in Pressers spijkerharde oordeel – een van de kernpunten in zijn *Ondergang* – over de Joodse Raad, die in Duitse opdracht de te deporteren joden administreerde opdat tenminste 'de besten' (zijzelf) zouden worden bespaard. 'De besten,' schreef Presser, 'dat wil zeggen, die intellectuelen en financieel draagkrachtigen die in de ogen der voorzitters met hun stand- en klassegenoten die "besten" leken; aan het behoud van deze steeds slinkende groep offerden zij een steeds grotere van minder- en niet-besten op. De sinaasappelenventers ten bate van de kaste der rijken en geleerden, ten bate van henzelf.'

Ik herlas in *Ondergang* het hoofdstuk over het Durchgangslager Westerbork, tussenstation naar het vernietigingskamp Auschwitz. Met belangstelling bekeek ik de foto van Ferdinand aus der Fünten, chef van de Zentralstelle für jüdische Auswanderung, en Albert Konrad Gemmeker, de kampcommandant. Keurige, welopgevoede jongemannen, vlekkeloos in het uniform. De joden hadden het slechter kunnen treffen. Zo'n Gemmeker, bijvoorbeeld, was een onomkoopbaar man. Toegegeven, hij was wat aan de chagrijnige kant, maar onder zijn bewind werd geen kampbewoner een haar gekrenkt, het feit dat zij uiteindelijk richting Polen zouden worden getransporteerd even buiten beschouwing gelaten.

In Pressers novelle *De nacht der Girondijnen* (1957) treedt Gemmeker op als de Obersturmführer Schaufinger. Elke week weer wachten de kampbewoners met de dood in het hart op de selectie van diegenen die de fatale dinsdag de trein in moeten. Mijn God, ook Ninon, het dochtertje van de oude Nathan de Vries en zijn vrouw, bevindt zich onder de ongelukkigen. Haar vader en moeder brengen het kind naar het perron. De vader verliest zijn zelfbeheersing en roept tegen kampcommandant Schaufinger: 'Maar ik laat mijn dochter niet alleen naar de verdommenis gaan, wat denken jullie wel?' En kampcommandant Schaufinger zegt, als altijd voorkomend: 'Aber Sie können ruhig einsteigen, mein Herr. Die gnädige Frau fährt natürlich auch mit. Gute Reise!' Waarop de OD, de joodse Ordedienst, het bejaarde echtpaar de trein in stoot.

Het was de Joodse Raad die de slachtoffers naar Westerbork bracht en het was de OD, de 'Joodse ss', die intermediair tussen Westerbork en Auschwitz was, 'Wij, een paar intellectuelen en venters,' zegt Pressers ik-figuur (ook een OD'er), 'waren voor de anderen ongetwijfeld het weerzinwekkendste tuig dat God had geschapen, boeven en gangsters; ik voel me nu, nú, wee om mijn maag, als ik aan ons, aan mij terugdenk.' Want, zoals Presser in de avond van zijn leven constateerde: 'De humaniora humaniseren niet.' Je kunt 's morgens een schitterend essay over Shakespeare schrijven en 's avonds in het gezelschap van een navenant beschaafde vriend Bachs Wohltemperierte Klavier ten gehore brengen, het sluit allemaal niet uit dat mannen, in uniform, de volgende dag op het perron van kamp Westerbork staan, in ongeduldige afwachting van het moment dat de trein vertrekt.

De gedachte moet voor Jacques Presser, die via zijn Dante, Goethe en Homerus een betere wereld dacht te scheppen, een tragedie te midden der tragediën zijn geweest.

Friedrich Engels in gesprek met Karl Marx, op 31 januari 1848, in de reconstructie van Theun de Vries precies honderd jaar na de publicatie van het *Communistisch Manifest.*

'Een groot deel van de Duitse arbeiders is onmogelijk,' constateerde Engels. 'Begrijpen ook hun plichten als arbeider niet. Slaapmutsen die elkaar geen enkele penning gunnen. Als zij niet verkalkt zijn in hun oude ideeën van "harmonie en vrijheid", laten ze zich verpesten door Proudhon en consorten. Of ze proberen zo snel mogelijk op te klimmen tot kleine bourgeois… wat overigens ook een vorm van verkalking is.'

Hij maakte een kwaadaardige beweging met de gebalde vuist.

'Zou je ons niet een kop sterke koffie…?' begon Marx, sprekend in de richting van zijn echtgenote.

De heren kwamen ter zake. Hoe stond het met het Manifest, dat Marx beloofd had op korte termijn te zullen schrijven? Zwijgend overhandigde Marx zijn vriend de brandbrief van de Communistenbond.

Engels begon te lezen. 'Fffft… Dat is niet mis,' verzuchtte hij. 'Ze willen maatregelen tegen je nemen, als ze het ontwerp niet voor 1 februari ontvangen… Lelijk, lelijk.'

Marx stelde hem gerust. Het Manifest was reeds lang en breed op weg naar Londen, de voorlopige standplaats van de jonge Communistenbond. 'Overigens hebben ze in Londen gelijk dat ze haast vragen,' zei Engels. 'Het is onrustig in het oude werelddeel, en als er wat gebeurt moeten we er met ons standpunt bij zijn.'

De voornoemde brandbrief ('In het geval dat K. Marx in gebreke blijft verlangt het Centraal Comité onmiddellijke retournering van de hem ter beschikking gestelde documenten') heeft die typisch Pruisische snauwtoon die vele communisten in spe – vaak Duitse, min of meer intellectuele emigranten – had doen besluiten hun vaderland te verlaten.

Het document valt te bezichtigen in het Karl Marx-museum in Trier, gevestigd in de burgermanswoning waar de latere socialistenleider de eerste zeventien jaar van zijn leven heeft doorgebracht. Het museum is een ideologisch curiosum, een paar vierkante meter klassenstrijd te midden van een conservatieve, grotendeels katholieke gemeente. Eerst stond het huis onder protectie van de sociaal-democraten. Daarna werd het demonstratief door de nazi's ingepikt als bewijs dat men Marx definitief mores had geleerd. Na de oorlog ontfermden andermaal de sociaal-democraten zich over het monument, al bekoelde de belangstelling naarmate de Sovjetunie zich steeds meer ging misdragen.

Even leek de peetvader van de moderne arbeidersbeweging aan een comeback bezig te zijn, toen de generatie van '68 hem herontdekte en annexeerde. Maar de jonge revolutionairen werden al snel oud voor hun tijd – bovendien was er aan die zogenaamde volksdemocratieën aan de andere kant van het ijzeren gordijn weinig plezier te beleven – en de proletariërs aller communistische landen werden in toenemende mate aan de ultieme Verelendung onderworpen, waarna het communisme werd afgeschaft en de definitieve triomf van het kapitalisme werd uitgeroepen.

De echo's van de diverse wereldschokkende gebeurtenissen dreunen nog na tussen de muren van het Karl Marx-museum. Je ziet er nog wel eens groepjes geestdriftige Chinezen ronddwalen, of een enkele westerse socialismejunk, maar inmiddels hebben de meeste toeristen meer belangstelling voor de Trierse, alleszins pas-

sabele wijnen dan voor Marx. Of zoals een kenner van de plaatselijke zeden en gewoonten zegt: 'Honderdduizend alcoholisten kunnen zich onmogelijk vergissen.'

Daar ligt het dan, in de vitrines, veelkleurig en veeltalig: het *Communistisch Manifest*. Plus de eerste en enig bewaarde bladzijde van
het manuscript. Het moet een replica zijn, gezien het stempel IISG
aan de bovenzijde. Deze afkorting staat voor Internationaal Instituut voor Sociale Geschiedenis, het befaamde Amsterdamse ar-
chief en documentatiecentrum in Amsterdam.

De historicus Werner Sombart noemde het *Communistisch Manifest* 'het geniaalste pamflet van de negentiende eeuw'. Zijn communistische collega Boris Nikolajevski noemde het zelfs, met enige
marxistisch-leninistische overdrijving, 'het geniaalste pamflet uit
de gehele wereldliteratuur'. De communistenleider Vladimir Iljitsj
Lenin constateerde: 'Dit kleine boekje weegt op tegen complete
bibliotheken.' Zijn opvolger, de letterlievende Josef Stalin, sprak
poëtisch over 'het lied aller liederen van het marxisme'.

Ja, er waarde door het Europa van de jonge Marx een spook, het
spook van het communisme in de gestalte van de arbeiders die niets
anders dan hun ketenen hadden te verliezen. De drukinkt van het
Manifest was nauwelijks droog of wederom werd de revolutie uitgeroepen, in Parijs natuurlijk, dat er na de woelingen van 1789 en
1830 waarachtig plezier in begon te krijgen. 'De heren van de bourgeoisie begonnen te sidderen,' reconstrueerde het marxistische tijdschrift *Die Neue Gesellschaft*. 'Op 22 februari 1848 schalt de *Mar-
seillaise* door de straten van Parijs. Arbeiders, handwerkers en studenten kwamen tegen de Franse bourgeoisie in opstand. De
stormklokken van de Notre-Dame luidden het revolutiejaar 1848
in. Het proletariaat betrad ten eersten male het strijdperk als zelf-
standige kracht met zijn eigen eisen. Het *Communistisch Manifest*
heeft hun de weg gewezen.'

Is het niet prachtig? Jammer, dat het niet waar is. Het *Communistisch Manifest* heeft geen enkele invloed op deze revolutie gehad. Het geschrift was op dat moment nog niet in het Frans voorhanden. En ook de vele vertalingen die volgden in het Engels, in het Nederlands, in het Italiaans, in het Deens en in het Pools, 'hadden geen enkele invloed', zoals Friedrich Engels zelf veertig jaar later vaststelde, toen het *Communistisch Manifest* eindelijk werd herdrukt.

Was de door Marx voorspelde revolutie dan niet op z'n minst een prognose geweest, die van veel politiek inzicht getuigde? Zelfs deze vorm van krediet zij de auteur niet vergund. Het was niet zozeer een prognose als wel een toevalstreffer, waarbij wij bovendien niet moeten vergeten dat al die loslopende revolutionairen van die tijd, zowel de autochtone als de gevluchte, in hun blaadjes en pamfletten aan de lopende band de revolutie voorspelden, vaak met dezelfde argumenten en dezelfde formuleringen.

Dat Karl Marx in die dagen grotendeels voor dovemansoren sprak, laat de verdiensten van zijn tienpuntenplan, het programmatische hart van het *Communistisch Manifest*, onverlet. Hij pleitte voor: 1. onteigening van de grond; 2. sterk progressieve belastingen; 3. afschaffing van het erfrecht; 4. verbeurdverklaring van het eigendom van emigranten en rebellen; 5. centralisatie van de kredietverschaffing door middel van een nationale bank; 6. nationalisering van het verkeer en transport; 7. uitbreiding van het aantal staatsondernemingen; 8. algemene arbeidsplicht; 9. samenvoeging van landbouw en industrie, mede om het verschil tussen stad en platteland op te heffen; 10. afschaffing van de kinderarbeid, te vervangen door een kosteloos opvoedingsprogramma.

Dat klonk voor die tijd revolutionair en ook ons, eenentwintigste-eeuwers, klinkt het in de oren als een staatkundig concept dat alleszins de moeite van het overdenken waard is. De vraag is wél wat er nu zo communistisch is aan dit manifest. De schrijver had voor hetzelfde geld een radicale sociaal-democraat kunnen zijn. Beide begrippen liepen in zijn tijd vaak dwars door elkaar heen. En ook later waren er sociaal-democraten die zich de erfenis der vaderen niet door de stalinisten lieten afnemen.

Een bedachtzaam en belezen man als Willem Drees sr bijvoorbeeld, is zich zijn leven lang marxist blijven noemen, een marxist als Karl Kautsky, August Bebel, Eduard Bernstein en Jean Jaurès, wiens borstbeeld hij op zijn bureau-ministre had staan. De staatsman prees het *Communistisch Manifest* om zijn 'grootse conceptie' en 'veruitziende visie', waarvoor hij zelf in het Nederland van de noodgedwongen compromissen en coalitiepolitieke strategieën nooit een voet aan de grond heeft kunnen krijgen. Het is dan ook een diep ingeslepen misverstand dat Drees na de woelige jaren zestig in 1971 zijn Partij van de Arbeid heeft verlaten omdat deze onder aanvuring van veranderingsgezinde partijgenoten te links zou zijn geworden. Hij vond haar veeleer te rechts en bleef een voorstander van het nationaliseren van de levensverzekeringsmaatschappijen en van typisch gemeenschapsbezit als de IJsselmeergronden.

Partijprogramma's zijn beginselverklaringen die zelden invloed hebben op de politieke praktijk. Zo ook Marx' *Communistisch Manifest*. Maar als dit boekje geen directe invloed heeft gehad en bovendien door de latere generaties te utopisch voor gebruik is bevonden, waaraan heeft het dan zijn wereldwijde roem te danken? Aan zijn stijl, veronderstel ik, aan dat vuurwerk van apodictische formuleringen, aperçu's en visionair ogende voorspellingen.

De Marxhaters, de socialistenvreter Leopold Schwarzschild op kop, hebben inmiddels uitgevonden dat al die gevleugelde woorden uit het *Communistisch Manifest* – van de arbeiders die geen vaderland zouden hebben tot en met de proletariërs aller landen die zich dringend dienden te verenigen – één revolutionair stadium eerder door andere revolutionairen zijn verzonnen.

Niettemin was het Marx die ze beroemd heeft gemaakt. In die jaren was het trouwens volstrekt gebruikelijk, gebruikelijker dan thans, dat men zich zonder bronvermelding door elkaar liet inspireren. Er bestaat zelfs reden om aan te nemen dat ook dat die andere beroemde bewerking, over de dwarsverbindingen tussen opium en volk, niet door hemzelf is bedacht. Men oordele zelf. Marx deed deze bewering in zijn *Zur Kritik der hegelschen Rechtsphilosophie* (1844). Hij was bevriend met de stervenszieke morfinist Heinrich Heine, die even eerder – in 1840, in zijn strijdschrift tegen Ludwig Börne – de godsdienst 'het edict van de lijdende mensheid' noemde, 'geestelijk opium, een paar druppels liefde, hoop en geloof'. Zoals Heine zelf, ironisch genoeg, bij het formuleren van deze woorden dicht heeft aangeleund tegen een vergelijkbare frase van diezelfde Börne, die in 1835, in een recensie van Heines *De l'Allemagne*, het christendom óók al 'le medicin' van de lijdende mensheid noemde.

Ik wil best het politieke effect van Marx' fameuze pamflet relativeren, maar een plagiator was hij niet. Hij was hoogstens een kind van zijn tijd, waarin de letterkundigen elkaar op het scherp van de snede bevochten, ondertussen zonder scrupules gebruik makend van elkanders grappen, vondsten, metaforen en filosofische bevliegingen.

Misschien was Marx niet zozeer een politicus als wel een schrijver, zij het een schrijver die voor een kunstenaar tamelijk veel verstand van politiek had. Ach, al die vruchteloze, energievretende polemieken waar hij een half leven mee vulde, polemieken tegen Bakoenin, Freiligrath, 'de ijzeren leeuwerik' Georg Herwegh, Herzen, Weitling, 'het joodje' Lassalle, Proudhon, de gebroeders Bauer en 'de communistenrabbijn' Moses Hess… En wat te denken van *Das Kapital*, het meest machteloze boek uit de geschiedenis van de menselijke beschaving, waarvan een Britse vakbondsleider, door Marx naar zijn mening gevraagd, verzuchtte dat hij het gevoel had 'een olifant cadeau te hebben gekregen'?

Geen wonder dat allerwegen, door communisten en niet-communisten, de voorkeur aan het heel wat consumabeler *Communistisch Manifest* werd gegeven. De eminente Marxspecialist Isaiah Berlin is opvallend zwijgzaam over de politieke lading van het geschrift. Zijn waardering voor het geschrevene is niettemin groot. 'Het is een document van wonderbaarlijke dramatische kracht,' constateert Berlin. 'Naar de vorm is het een constructie van stoutmoedige, opmerkelijke historische generalisaties, uitlopend op een aanklacht aan het adres van de bestaande orde namens de wrekende krachten van de toekomst, grotendeels geschreven in een proza dat de lyrische kwaliteiten bezit van een grote revolutionaire hymne.'

Hetgeen dus grotendeels een letterkundig waardeoordeel is over het jeugdwerk van een schrijver die tussen het politiseren door aan een (tragisch mislukte) roman werkte en bovenal verzen schreef. Verzen als:

Nimmer kann ich ruhig treiben,
Was die Seele stark erfasst,
Nimmer still behaglich bleiben,
Und ich stürme ohne Rast.
Alles möcht' ich mir erringen,
Jede schönste Göttergunst,
Und im Wissen wagend dringen,
Und erfassen Sang und Kunst.

Hij was inderdaad onmiskenbaar goed in vorm, de jonge auteur van het *Communistisch Manifest*!

Neem die passage over privé-eigendom. 'Men heeft beweerd dat met de afschaffing van het privé-eigendom een algehele luiheid in zou treden,' schreef Marx. 'Zou dit wáár zijn, dan was de burgerlijke maatschappij allang aan traagheid ten onder gegaan, want zij die in deze burgerlijke maatschappij werken, verdienen niets en zij die verdienen, werken niet.'

Driekwart eeuw later volgde op de theorie de praktijk, in de gecollectiviseerde Sovjetunie: een halve eeuw later nagevolgd in menige sovjetsatelliet. Het was in alle opzichten een tragedie. De oudere Kremlin- en Pankow-watchers plegen graag te vertellen wat je overkwam als je probeerde een kop koffie te bestellen in de Karl Kautsky Konditorei aan de Marx-Engels-Platz te Berlijn, hoofdstad der Duitse Democratische Republiek. Dat werd, mits voorradig, drie kwartier na aankomst, mét voetbad, door een verveelde kelner op je slecht gereinigde tafeltje gekwakt. Want waarom zou hij zich uitsloven? Die twee stuivers winst gingen immers niet naar hem, maar naar het Centraal Comité van de Eerste Arbeiders- en Boerenstaat.

Met andere woorden, als Marx al een visionair is geweest, heeft hij niet zozeer de schaduwzijden van het kapitalisme voorspeld als wel die van het communisme, en had zijn *Communistisch Manifest* beter het *Anticommunistisch Manifest* kunnen heten. Zijn theorieën waren gericht op 'de meest ontwikkelde landen', niet op onontwikkelde naties als Cuba of Albanië, laat staan op het half-Aziatische, in een despotische traditie staand land als Rusland. Het was uitgerekend dit Rusland dat zijn leer na 1917 tot een 'marxisme à la tartare' perverteerde, het Rusland dat hij haatte op een wijze die aan Russenfobie grensde. Dit verschrikkelijke, terroristisch bestuurde tsarenrijk, liet Marx weten, zou zich eerdaags, als het niet in de teugels werd gehouden, uitstrekken van Stettin tot Triëst. En zélfs de Afghanen mochten wel oppassen dat zij niet door het vraatzuchtige Rusland werden opgegeten.

Weer een voorspelling die niet is uitgekomen.

Het telefoonboek van de Marxstad Trier telt tientallen Marxen. Zij hebben niets met de schrijver van het *Communistisch Manifest* te maken; de naam Marx is een afgeleide van het katholieke Marcus. De familie van Karl Marx was een importproduct. Vader Heinrich was een rabbijnenzoon uit het Saarland. Moeder Henriëtte was een rabbijnendochter uit Nijmegen. De jonge Karl zou, zoals bekend, na vele omzwervingen aan de leestafel van het British Museum belanden om daar, te midden der folianten, tot de onafwendbare conclusie te komen dat de middenstand gedoemd was ten onder te gaan, mede omdat de paupers bezig waren in een snel tempo verder te verpauperen. 'Verschaft de loonarbeid, de arbeid van de proletariër, hun eigendom? Geenszins!' constateerde Marx.

Van achter de ramen van het Karl Marx-museum kijk ik de late middag in en zie hoe het volk, gekromd over de kerstcadeaus, over de trottoirs schuifelt in de richting van hun goed verlichte en goed verwarmde woningen. De soep staat op het vuur, een smakelijk stukje vlees zal er ook wel ingaan en straks, met een glas in de hand onder de kerstboom, tellen de paupers hun zegeningen.

De zangeres was jarenlang de leading lady van het Bolsjoj-theater. Dat was, ondanks de uiterlijke schijn, geen schouwburg maar een pesthol, vol dood en verderf. De zangers en zangeressen gaven elkaar aan bij de geheime politie, enkel en alleen om de titelrol in *Rigoletto* of *La Traviata* te pakken te krijgen. Het is de sopraan Galina Visjnevskaja zelf overkomen met haar eigen leerlinge Jelena Obraztsova, de boze stiefdochter van Judas Iskariot. Na veel gelieg en bedrieg en communistische slijmballerij nam zij daar de macht van Galina Visjnevskaja over. Galina Visjnevskaja was inmiddels, samen met haar man Mstislav Rostropovitsj, maar het buitenland uitgeweken. Zij betrokken een flat in Parijs en namen strijdbaar plaats onder het portret van tsaar Nicolaas II, een liberale autocraat, ongetwijfeld vele malen humaner dan zijn zestiende-eeuwse collega Ivan de Verschrikkelijke. Nochtans was tsaar Nicolaas, dankzij de al spoedig gelijkgeschakelde historici, voorlopig gedoemd als de baarlijke duivel de geschiedenis is te gaan.

Met grimmige belangstelling las Galina Visjnevskaja in haar Parijse flat het vraaggesprek dat de Bolsjoj-krant met haar rivale had gepubliceerd. Vraag aan Jelena Obraztsova: 'Wat was dit jaar emotioneel uw meest aangrijpende ervaring?' Antwoord: 'Het grote geluk te mogen zingen bij een banket ter ere van de zeventigste verjaardag van Leonid Brezjnev.'

Van Obraztsova hoeft men dus al zijn leven geen *Lady Macbeth van Mtsensk* te horen. En ook geen *Traviata, Butterfly, Aida* of *Carmen.* En zelfs geen *De Dekabristen, De grote vriendschap* of *De optimistische tragedie,* muziekdramatische hoogtepunten van het ideologisch vergiftigde standaardrepertoire.

Behoort ook Sergej Prokofjevs oratorium *Ivan de Verschrikkelijke* tot deze twijfelachtige categorie?

Ook Galina Visjnevskaja is een onderdeel geweest van de totalitaire subcultuur, waarin een dronken Nikita Chroesjtsjov en een hitsige Nikolaj Boelganin slechts met de vingers hoefden te knippen om de uitverkoren Kunstenaar of Kunstenares van het Volk zijn of haar stembanden te laten schrapen. 'Je kon elk moment telefonisch voor een ontvangst worden opgeroepen,' schrijft zij in haar gedenkschriften. 'Vaak 's avonds laat, net als je klaar was om naar bed te gaan. Het betekende dat een of andere leider na een drinkgelag in een gril had besloten dat hij de stem van de geliefde kunstenaar of kunstenares wilde horen.'

Had je dáár zo'n energieverslindende opleiding aan het sovjetconservatorium voor gevolgd? Les I: Geschiedenis van de Communistische Partij van de Sovjetunie. Les II: Politieke economie. Les III: Dialectisch materialisme. Les IV: Historisch materialisme. Les V: Grondbeginselen van de marxistisch-leninistische esthetiek. Les VI: Grondbeginselen van het wetenschappelijk communisme. Les VII: Krijgskunde. Les VIII: Zangles (twee uur per week).

Het voert ons naar de vraag of het mogelijk is op socialistische wijze kunst te bedrijven. De vraag valt niet met een eenvoudig ja of nee te beantwoorden. De socialistische strijdliederen, die beoogden de strijders in de Spaanse Burgeroorlog aan te vuren, zijn niet domweg te negeren. De tekeningen van de sociaal-democratische tekenaar Albert Hahn zijn niet zelden ware meesterwerken. Maar meestal doet men er verstandiger aan de socialistische kunst links te laten liggen.

Er is op zijn best sprake van vooruitstrevende kunst. Natuurlijk was de katholieke krullenbol Franz Schubert een vooruitstrevend componist, net zoals Vladimir Nabokov, zijn particuliere conservatieve theorieën ten spijt, een vooruitstrevend schrijver is geweest. Driekwart eeuw Sovjet-Russische cultuurgeschiedenis wordt gedomineerd door artistieke misbaksels, met in de hoofd- en bijrollen de positieve held en de positieve heldin, gespierd en blondgelokt op de tractor van de landbouwcoöperatie Rode Oktober. Wij hebben aan hun praatjes echter geen boodschap, want wij weten inmiddels maar al te goed dat het allemaal leugen en bedrog is geweest.

Regisseur Sergej Eisenstein had zijn eigen manier gevonden om Josef Stalin, het vadertje aller sovjetvolkeren, naar de ogen te kijken. Hij legde de eerste hand aan een driedelige megafilm over Ivan de Verschrikkelijke, tsaar aller Russen van 1547 tot 1584.

Had Eisenstein niet een smakelijker personage kunnen uitkiezen dan deze massamoordenaar? De Russen denken – of dachten – echter wat genuanceerder over hun hardhandige landgenoot. De reputatie van tsaar Ivan berust immers op een vertaalfout. Wij mogen in het Westen spreken over Ivan de Verschrikkelijke, maar zien in onze Russenvrees het feit over het hoofd dat de man eigenlijk Ivan de Gestrenge (of Ontzagwekkende) heet. En wat al die bergen lijken betreft: een gestreng bestuurder placht in die tijd nu eenmaal zonder scrupules te werk te gaan, waarbij het het verstandigst en meest economisch was eventuele tegenstrevers een kopje kleiner te maken. Zoals kameraad Stalin, bijvoorbeeld, tijdens de diverse zuiveringen op grote schaal in praktijk had gebracht. Dáárom had Eisenstein, ter bekroning van zijn cinematografische oeuvre, gekozen voor een portret van tsaar Ivan IV, bijgenaamd De Verschrikkelijke.

Ivan de Verschrikkelijke en Stalin waren loten van één stam, tirannen met achtervolgingswaan, de een bedreigd door de bojaren, de ander – in eigen ogen – belaagd door de trotskisten, bereid door een zee van bloed te waden voor dat ene, heilige doel: hun veelvolkerenstaat tot een eenheid te smeden. Daar hadden zij als Realpoliticer niet eens ongelijk in, als men ziet wat er met het rijk na de val van het communisme is gebeurd.

Tsaar Ivan steunde op zijn lijfgardisten, de opritsjniki. Zij zweren in het op de muziek van Eisensteins film gebaseerde oratorium van Sergej Prokofjev de eed van trouw op de despoot: 'Ik zweer bij God een eed van trouw, een heilige eed, een verschrikkelijke eed, de heerser van Rusland als een hond te dienen, steden en dorpen uit te mesten, de misdadigers met onze tanden te verscheuren en op bevel van de tsaar ons leven te offeren voor het grote, Russische tsarenrijk.' Waarna deze heilige eed met succes aan de praktijk werd getoetst, zowel in het Rusland van Ivan de Verschrikkelijke als, vierhonderd jaar later, in de Sovjetunie van Josef Stalin.

De grootste hielenlikker onder de sovjetkunstenaars is de schrijver Maksim Gorki geweest. Hij was de man die in 1934 op het eerste congres van sovjetschrijvers de doctrine van het 'socialistisch-realisme' introduceerde, die vervolgens allerwegen door al die vierderangstalenten in de praktijk werd gebracht, resulterend in de ene gespierde, even realistische als optimistische roman na de andere, die altijd wel een plasdankje aan het adres van 'het grootste genie van de arbeidersklasse', zijnde 'de aardigste leider aller tijden en volkeren' bevatte. De doctrine gold voor alle culturele disciplines. Sergej Prokofjev had zich allang vrijwillig naar Stalins wil gevoegd, wat curieus was, want de componist woonde sinds het revolutiejaar 1917 veilig, onbereikbaar voor de klauwen van de geheime politie, in het buitenland. Daar schreef hij in 1930 het ballet *Aan de Dnepr*. Het ging over de ontluikende liefde tussen een boerenmeisje en een soldaat van het Rode Leger.

Nou, dan weet je het wel.

Op het hoogtepunt van de bolsjewistische terreur keerde Sergej Prokofjev terug de Sovjetunie, een tamelijk ongelooflijke stap die niet alleen te verklaren valt uit het feit dat de componist zich naar eigen zeggen als een 'ernstige, uit instinct handelende patriot' beschouwde. Al snel ontwikkelde hij zich als een kunstenaar met een creatief gevoel voor het artistiek toepasbare chauvinisme.

Semjon Kotko, zijn eerste sovjetopera (1939), is gebaseerd op de novelle *Ik ben de zoon van het werkende volk*. Semjon Kotko (positieve held) vecht in 1918 in de Oekraïne tegen de tsaristische sergeant-majoor Tkatsjenko (negatieve held). Kotko is verliefd op de dochter van zijn aartsvijand en bevrijdt haar uit de handen van de Duitse bezettingstroepen. Eind goed, al goed. Het is een muziekdramatisch werk dat aan alle emotionele instincten voldoet: revolutionaire Russen maken gehakt van Russische contrarevolutionairen en tussen de bedrijven door ook met Duitse imperialisten. De opera stond op het punt in première te gaan toen het Molotov-Ribbentrop-pact werd ondertekend en de twee vijandelijke naties opeens dikke vrienden waren. Dus werden de boze Duitsers in boze Oostenrijkers omgetoverd, een 'verbetering' die de componist zich zonder tegenstribbelen liet aanleunen.

Een kunstenaar, had Stalin bedacht, was 'een ingenieur van de ziel', te werk gesteld op een speciaal voor hem ingericht departement. 'Het Departement van de Ziel. Weet je dat ik mijn huidige verantwoordelijkheden ervoor zou opgeven en me alleen nog maar daarmee zou bezighouden, als ik de kans kreeg?' zegt Stalin, in het gezelschap van Prokofjev en Sjostakovitsj ten tonele gevoerd in David Pownalls *Master Class*. Mijmerend: 'Prokofjev zou daar kunnen werken en Sjostakovitsj. Hoewel ze onder mijn supervisie zouden staan, zouden ze toch kunnen doen waar ze zin in hadden, experimenteren en ideeën uitwerken. We zouden samen kunnen lunchen in de kantine van het Departement van de Ziel. Ik mag ze namelijk. En ze mogen mij ook, geloof ik. Is het niet? Jullie zijn toch ook op mij gesteld?'

'Zéér,' zegt Prokofjev, angsthaas eerste klasse.

'Hij dus wel,' concludeert Stalin. 'Sjostakovitsj moet er nog even over nadenken.'

'Nee, nee, ik mag u graag,' zegt Sjostakovitsj, angsthaast tweede klasse.

'Prokofjev was een hoogbegaafde profiteur die het met het regime op een akkoordje gooide,' zegt een van zijn biografen. Zelf heeft de componist tot 1943 moeten wachten totdat hij eindelijk de Stalinprijs tweede klasse kreeg, als beloning voor zijn zevende pianosonate in B, in 1946 gevolgd door de Stalinprijs eerste klasse, als beloning voor zijn compositorische aandeel in de film *Ivan de Verschrikkelijke*, deel I.

Vreugde in huize Prokofjev! Eindelijk was de regimegetrouwe 'ingenieur van de ziel' een van die schaarse, geprivilegieerde sovjetburgers geworden, met entree tot de speciale staatswinkels. Hij had recht op een auto, een buitenhuis, studiereizen, kosteloos onderwijs voor de kinderen, gratis medische verzorging benevens – mits niet toevallig om politieke redenen doodgeschoten – een keurige staatsbegrafenis.

Nadat de Grote Vaderlandse Oorlog tegen de nazi's in het voordeel van de Sovjetunie was beslecht, verscherpte zich het repressieve klimaat in het land. *Ivan de Verschrikkelijke*, deel I, als lofzang op het patriottisme, was nog genadiglijk ontvangen. Van deel II, waarin de tsaar aan de legitimiteit van zijn optreden begon te twijfelen, was Stalin echter niet gediend. Een tsaar of een communistische partijleider twijfelt niet. Dat is iets voor verwekelijkte slappelingen. Stalin ontbood Eisenstein in het Kremlin en noemde hem een vervalser van de Russische geschiedenis, waarna de dodelijk geschrokken regisseur onmiddellijk een excuusbrief publiceerde waarin hij zijn eigen schepping 'ideologisch waardeloos' noemde. Zowel Stalin als zijn huiscinematograaf was al jaren dood voordat *Ivan II* eindelijk in de sovjetbioscopen mocht worden vertoond.

Het aanzien van Prokofjev, die ook de filmmuziek bij *Ivan II* had geschreven, daalde eveneens in een razend tempo. Hij belandde op het beruchte Componistencongres van januari 1948, samen met Sjostakovitsj, Chatsjatoerian en Kabalevski, op de zwarte lijst van toondichters die 'zich van het volk hadden vervreemd' door 'valse akkoorden' die dwars stonden 'op de gezonde Russische menselijkheid'.

Ook Prokofjev koos voor de klassieke, onder het stalinisme gebruikelijke methode: hij beoefende zelfkritiek. Inderdaad, in sommige zijner composities had hij, schandelijk genoeg, atonale elementen gehanteerd, maar dat was alleen gedaan om de tonale, melodische passages des te duidelijker te profileren. Toegegeven, het bleef voor een sovjetcomponist een hoogst verwerpelijk gedrag. In de toekomst zou Prokofjev, beloofde hij, kiezen voor een helder, verstaanbaar muzikaal idioom, geïnspireerd op de onvergankelijke melodieën van de Russische volksliederen. 'Ik dank onze partij voor haar duidelijke richtlijnen, die mij hebben geholpen op mijn zoektocht naar een muzikale taal die het volk begrijpt en die ons grote volk én ons prachtige land waardig is.'

In Pownalls *Master Class*, spelend in de schaduw van het Componistencongres van 1948, vindt Stalin dat de sidderende Sjostakovitsj en Prokofjev nu wel genoeg vernederd zijn. Weet je wat, zegt hij verzoenend, wij gaan samen een muziekstuk maken, een liederencyclus of een cantate. Op volkse motieven, natuurlijk. Licht gesputter. 'Ik heb nog nooit van een op volksmuziek gebaseerde cantate of liederencyclus gehoord,' zegt Sjostakovitsj. Hoort de

Russische dictator het goed? Durft iemand hem tegen te spreken? Zijn agressie richt zich echter niet tot Sjostakovitsj, maar tot Prokofjev. 'Prokofjev,' zegt Stalin, 'weet je wat er voor volks nog voor jou over is? Het graf, dat op je wacht. Daar vallen alle pretenties van jou af, mijn vriend. Wij zullen je onderspitten als een baal stront.'

Het was andermaal de taal van de vaderlijke dictator, die van tijd tot tijd zijn tanden wilde laten zien. En zijn voorspelling was juist: Prokofjev werd als een stuk stront begraven. Dankzij Stalin, wiens laatste besluit was op een en dezelfde dag als de componist te sterven. Het was 5 maart 1953. De sopranen van het Bolsjoj-theater werden, beschrijft Prokofjevs biografe, massaal opgetrommeld en zoemden woordeloos, als lijkzang, Schumanns *Träumerei*. In Moskou, in de buurt van de opgebaarde Stalin, ontstonden zulke tumultueuze scènes dat daarbij honderden, zo geen duizenden treurenden elkaar ten dode vertrapten. In de concentratiekampen weenden Stalins slachtoffers dagen en nachten. Van de staatsbegrafenis die de Prokofjevs was beloofd, kwam dus niets terecht. Zijn stoffelijk overschot, op weg naar het Novo-Devitsji-kerkhof, had de grootste moeite een weg door de straten te vinden. Achter de kist liep de familie plus een handjevol bewonderaars. Op de kist lag slechts het simpele stukje groen dat een meelevende buurvrouw had afgestaan. Zo verliet Sergej Prokofjev zijn sovjetparadijs. Josef Stalin was hem, voor de laatste keer in hun beider leven, weer eens te slim af geweest.

De ideale mens (m/v) bestaat, wat de cynici onder ons ook mogen beweren. Hij (of zij) staat tot in detail beschreven in de contactadvertenties van de zaterdagskranten. Zij (of hij) is lief, maar mét diepgang, slim, communicatief, en geen bartype, hij (of zij) heeft een groot hart en veel humor, is gevoelig, levenslustig, warm, lijfelijk, eerlijk, direct en sportief, breed geïnteresseerd, intens levend, zij het geen danstype, heeft kinderwens of heeft geen kinderwens, in elk geval loopt de ideale mens rond met vlinders in de buik, met name als het lente wordt.

Hiëronymus van Alphen (1746-1803) heeft de ideale mens, gemeten naar de moralistische maatstaven van de achttiende eeuw, herhaalde keren in kaart gebracht.

Hij dichtte:

Geen geld bekore ons jong gemoed,
maar heiligheid en deugd.
De wijsheid is het hoogste goed;
het sieraad van de jeugd.

Wat is tog rijkdom? Wat is eer?
Een handvol nietig slijk.
Gods vriend te wezen is veel meer,
die Jezus lieft is rijk.

Dan vallen we onzen God te voet,
om deugd en heiligheid.
Zo wordt op aard ons jong gemoed
ten hemel voorbereid.

Dan krijgen wij dien besten schat,
die nimmermeer vergaat.
Dan loopen wij op 't deugdenpad
en schrikken voor het kwaad.

De ideale mens was in die tijd bovenal vroom, wat hem er in de praktijk niet van weerhield om de Indiërs uit te buiten en in Afrikaanse slaven te handelen. Het was een christelijke en navenant hypocriete maatschappij die het Goede, met nuchtere, hedendaagse ogen bekeken, ernstig in diskrediet heeft gebracht. De ideale mens van nu, die nog wat van mens en maatschappij probeert te maken, wordt inmiddels met argwaan bezien. In de praktijk blijkt hem niets menselijks vreemd. De derdewereldwinkelier die exclusief bij Max Havelaar-koffie zweert, is er met de kas vandoor, de goedertieren predikant ener dorpsgemeenschap beloert in het plaatselijk zwembad minderjarige meisjes en Annie Schmidts mevrouw Van Lijsterslag, die voor elke medemens een goed, vertroostend woord overheeft, riskeert haar leven.

'Zij weet wat liefde al vermag.
Zij zal ons opwaarts stuwen.
Zo is mevrouw Van Lijsterslag.
Ik denk dat ik haar zaterdag
onder de trein zal duwen.'

De mens kent de nachtzijden van zijn ziel goed genoeg om de ideale medemens te wantrouwen. Dus beweert hij dat de ideale mens niet bestaat, een theorie die voornamelijk op schuldgevoel is gebaseerd. Het is helemaal niet per definitie noodzakelijk dat hij zo'n neo-achttiende- of neo-negentiende-eeuwse sentimentele kweepeer is. Werkelijk, zij bestaan! Mannen die aardig zijn voor hun vrouw, vrouwen die zonder restrictie van hun kinderen houden, mannen die zelden de belastingen tillen, mannen én vrouwen die zich niet aan loze praatjes over allochtonen bezondigen, mannen én vrouwen die braaf de *Daklozenkrant* kopen, desnoods drie keer per week.

Hun probleem is dat zij de schijn tegen hebben. De ideale mens is saai. Hij heeft geen drama, hij zal nooit object van zo'n vuistdikke biografie zijn en er zal nooit een toneelstuk over hem worden geschreven. Behalve Oscar Wildes *An ideal husband*, opperen de wijsneuzen onder ons. Die ideale echtgenoot was echter corrupt en chantabel en wist slechts dankzij des schrijvers verslaafdheid aan een happy end zijn naam, faam en politieke carrière te redden.

Wij houden niet van de ideale mens. Heimelijk, diep in ons hart, geven wij verreweg de voorkeur aan schurken, echtbrekers, bankrovers en driedubbelspionnen. Maatschappelijk moge op dit soort individuen wellicht het een en ander aan te merken zijn, in elk geval vormen zij in de meeste gevallen een creatieve factor in het milieu van kunst en cultuur. Ik wed dat er nu al iemand bezig is met het vierdelige televisiedrama *De avonturen van de drugshandelaar Etienne U. in de wondere wereld van politiek en justitie*.

Het wordt ongetwijfeld een doorslaand succes.

De laatste opera van Wolfgang Amadeus Mozart was *La clemenza di Tito*. Deze Titus was keizer te Rome. Hij was zo goed en goedertieren dat je er kotsmisselijk van werd. Er wordt de ene aanslag na de andere op hem gepleegd. 'Rome zal er getuige van zijn,' zegt de keizer in de slotscène, 'dat ik alles begrijp, alles vergeef en alles vergeet.' Dat resulteerde dus in een kunstwerk waarvoor, de capaciteiten van de componist ten spijt, geen mens belangstelling heeft. Geef ons maar *Don Giovanni*, de door en door slechte, seksmaniakale en godloochenende vrouwenverleider, die uiteindelijk ter helle wordt gevoerd. 'Che inferno! Che terror!'

Kent iemand William Shakespeares *Timon van Athene*? Natuurlijk niet. Die man is volkomen oninteressant. Timon is de ideale Atheen, een puissant rijke Griekse patriciër met een buitensporig genereus karakter. Hij spijst en drenkt de gehele beau monde en verheugt zich dan ook in een ogenschijnlijk grenzeloze populariteit. De cynische wijsgeer Apemantus zegt waarschuwend dat gekochte affectie zelden pleegt te beklijven. 'Het menschenras is allang ontaard tot aap en baviaan.'

Dat gaat uiteraard mis, ook in toneeldramatische zin, want wij, schouwburgbezoekers, zien niets in Atheense sijsjeslijmers en geven de voorkeur aan de godverlaten Richard III, de man die op gezag van de voornoemde Shakespeare de geschiedenis is ingegaan als een bloedhond, een gore duivel, een beroerling, een serpent, een schurftige spin, een vleesetend monster, een gulzige, op bloed beluste ever, een ploertige verkrachter van Gods handwerk, een hond die eerder tanden dan ogen had om ze in lammeren te zetten en er hun onschuldig bloed mee op te likken, een aartstiran die in zo menig blindgekregen oog voorgoed zijn schrikbewind heeft gevestigd, kortom, de Kinderschreck van het Anglo-Amerikaanse taalgebied.

Dus is Richard III al een mensenleven lang onze favoriete Shakespeareschurk met de eerzuchtige koningsmoordenaar Macbeth als goede tweede.

Ik ben een bewonderaar van Rosa Luxemburg, een revolutionaire romantica die bovendien gedichten las.

Mijn ideale politicus is Willem Drees sr. Politici dienen de revolutionaire romantiek te schuwen. Daar komt, leert de praktijk, alleen maar moord en doodslag van.

De tweede plaats onder mijn favoriete politici wordt ingenomen door de Tsjechoslowaak Tomáš G. Masaryk, de verzinnebeelding van intellect en compromisloze eerlijkheid. Hij baseerde zich op Plato, de denker die van mening was dat de mensheid pas gelukkig zal worden op het moment dat de koningen filosofen en de filosofen koningen werden.

Toch, ondanks al mijn verering, hanteerde Masaryk een verkeerd – misschien wel hoogmoedig – uitgangspunt. Filosofen horen zich verre van de politiek te houden en God moge ons behoeden voor filosoferende politici, wat alleen maar, leert de ervaring, tot verbale schimmel leidt. Doe als Drees! Schaf al dat hoogdravend denkwerk af en baseer je de problematiek rond lonen en prijzen, alsmede het activeren of reactiveren van onderwijs en gezondheidszorg. Dat was ten principale het uitgangspunt van Drees, de onkreukbare, kapsonesloze burgerman uit de Haagse Beeklaan. Als hij 's avonds van een galadiner naar huis kwam, zei hij, door mevrouw Drees naar het menu gevraagd, altijd: 'Soep en vlees.'

Hij was in politicis de ideale mens, van wie je zonder enig probleem een tweedehands auto kon kopen, die hij natuurlijk niet bezat, want hij nam, ook in de jaren van zijn premierschap, gewoon de tram. Hij was ondanks zijn ogenschijnlijke kleurloosheid de beste minister-president uit de Nederlandse parlementaire geschiedenis. Nooit van zijn leven heeft hij iemand een schurkenstreek geleverd, zodat hij nu nog een bladzijde in onze vaderlandse historie is en straks tot een voetnoot zal zijn ineengeschrompeld. In tegenstelling tot gepatenteerde slechteriken als Hendrikus Colijn, prins Maurits, Anton Mussert en de moordenaars van de Martelaren van Gorcum.

Ik durf, zonder een schijn van bewijs, te beweren dat mevrouw Drees de ideale echtgenote is geweest. Diep in mijn hart geef ik de voorkeur aan Lucrezia Borgia of Livia, de echtgenote van keizer

Augustus. Dat zijn pas vrouwen die tot de verbeelding spreken, geen types, anders dan mevrouw Drees, om een kopje thee mee te drinken, te meer omdat de dames altijd wel een snuifje arsenicum of een takje van het giftige bilzekruid bij de hand hadden om de ideale medemens met wortel en tak uit te roeien.

Niks tegen de heilige Catharina van Genua die zich, om de mensheid te redden, met vuilnis en luizen zou hebben gevoed Waarlijk, zij was de pater Jan van Kilsdonk van de late Middeleeuwen. Vraag echter het volk te kiezen tussen het vrijlaten van Jezus van Nazaret, de wasser der zwakken, en de meervoudige moordenaar Barabbas en het volk roept: 'Barabbas!'

Toch geldt Jezus in sommige kringen nog steeds als het archetype van de ideale mens, al had Arthur Schopenhauer daarover zo zijn ironische reserves.

Een gesprek anno 33:
'Heb je het nieuws al gehoord?'
'Nee, wat is er gebeurd?
'De wereld is verlost.'
'Wat zeg je me nou!'
'Ja, de goede God heeft de gestalte van een mens aangenomen en heeft zich vervolgens in Jeruzalem laten kruisigen en daardoor is de wereld nu verlost en is de duivel hardhandig op zijn vingers getikt.'
'Ei, das is je ganz scharmant.'

Omdat de verlossing van de wereld uiteindelijk niet tot tevredenheid is verlopen, wijken wij, op zoek naar de ideale mens, inmiddels uit naar exotische buitenlanden, want de westerse wereld heeft blijkbaar het vertrouwen in de kracht van de eigen cultuur verloren.

In de ogen van Jean-Jacques Rousseau was het de Nobele Wilde. Germaine Greer zocht de ideale mens onder de Australische aboriginals, levend in geslachtelijk separatisme.

Het is een zoektocht die menigeen tot pure wanhoop heeft gedreven. De theologische variant ervaren de meesten onder ons inmiddels als even verouderd als mislukt. De ideologische variant is hopeloos in diskrediet geraakt. Boekenkasten vol hagiografieën zijn er over Vladimir Iljitsj Lenin geschreven, in de tijd dat het marxisme-leninisme nog een factor van betekenis was. Ik parafraseer Karel van het Reve, bij leven en welzijn specialist in het ontmaskeren van marxistisch-leninistische leugenpraat. Lenin, leerde *Grote Sovjet-Encyclopedie*, was de ideale mens. Hij lette goed op op school, hij was een liefhebbende en oppassende zoon, volwassen geworden stak hij geen vinger uit naar andere vrouwen, hij rookte niet, hij dronk niet, hij las geen vieze blaadjes, hij vond *Oorlog en vrede* een mooi boek, hij beschouwde Beethoven als een goede componist en als hij met slecht weer naar buiten ging, sloeg hij de onderkant van zijn broekspijpen op.

En ondertussen werden de in marxistisch-leninistische ogen wat minder ideale mensen op grote schaal om het leven gebracht.

Geen beter voorbeeld van de ideale mens dan Siegfried, althans in de ogen van de filosoof en toondichter Richard Wagner.

Siegfried is frank, vrij en onbevreesd, blond en blauwogig. Allicht dat de nationaal-socialisten een voor een verliefd op hem waren.

Wij worden van dit hersenloze stuk protoplasma in werkelijkheid niets wijzer, behalve dat hij ons leert hoe levensgevaarlijk het is naar het volmaakte te streven.

Siegfried geldt, in de woorden van A.W. von Schlegel, als 'de Achilles van het Noorden'. In werkelijkheid is hij wat de verstandigere Duitsers een 'Vollidiot' noemen. Reeds zijn entree in de eerste akte van zijn opera is hoogst ongelukkig. De handeling is in de smederij van zijn voogd Mime gesitueerd (een kwaadaardige dwerg, dus het tegendeel van de ideale mens), waarop hij een levensgrote beer afstuurt, aangevuurd door de woorden: 'Hoiho! Hoiho! Hau ein! Hau ein! Frisst ihn! Frisst ihn, den Fratzenschmied! Hahaha-hahahahahahaha!'

De meer sensibelen onder ons weten dus vanaf het begin dat deze ogenschijnlijk ideale mens voor geen stuiver deugt.

Hij weert zich zo energiek in het Wagneriaanse universum van goddelijke, halfgoddelijke en aardse dieven, dierenbeulen, bloed-schenders en halsafsnijders dat de jurist Ernst von Pidde (*Richard Wagners Der Ring des Nibelungen im Lichte des deutschen Strafrechts*, 1968) hem op vijftien jaar tuchthuis becijferde.

Het kunstwerk resulteert uiteindelijk in een van de krankzin-nigste scènes uit de operaliteratuur. De jonge held vindt een sla-pende gestalte, in volle wapenrusting, achter een rotsblok gelegen. Wat is dat voor een man? Dan bespeurt hij enige verwarrende wel-vingen. 'Het is geen man!' concludeert de jonge held geschrokken. Integendeel, het is zijn robuust geschapen tante Brünnhilde, de in ongenade gevallen dochter van de oppergod Wotan. Zij ontwaakt. Bronstige bliksemschichten daveren door de orkestbak. Siegfried is nog maagd. Boezemt hem 'das wild wütende Weib' angst in, vraagt tante schalks. Nee, antwoordt Siegfried, hij is – zegt hijzelf – im-mers zo dom dat hij elke vorm van angst en vrees is afgeleerd. De liefdeshongerige Brünnhilde breekt uit in een wild gelach. 'Oh! Kindischer Held! Oh, herrlicher Knabe!' Dan opent zij haar kuras, vastbesloten haar neefje van zijn onschuld te beroven.

Weg ideale mens! Kansloos ten onder gegaan in het rijk der zin-nen!

Om zoiets te bedenken kun je naar mijn overtuiging alleen maar een losgeslagen Duitse denker zijn.

Een paar millennia na de ineenstorting van het Walhalla brak in het oude Europa een oorlog uit tussen Serviërs en de Kosovaren, met de laatsten in de rol van de onderliggende partij. Een klein miljoen werd, onder achterlating van have en goed, de grens over-gejaagd. Waar moesten zij heen? Dus stonden plotseling enige tien-duizenden Kosovaren voor de Nederlandse grens. Het veroorzaak-te politieke onrust. Het Christen-Democratisch Appèl aarzelde tussen christendom en welbegrepen eigenbelang. De Volkspartij voor Vrijheid en Democratie stelde in een speciale zitting van het partijbestuur vast dat Nederland vol is. D66 pleitte voor een oplos-sing op Europees niveau.

Totdat premier Wim Kok de impasse doorbrak, dwars door alle partijbelangen heen. Hij vorderde vijf minuten zendtijd, voor ra-dio en televisie, en sprak de woorden: 'Beste landgenoten. Nu zijn ook wij, Nederlanders, betrokken bij de grootste humanitaire ramp die ons werelddeel de afgelopen vijftig jaar heeft getroffen. Het is een ramp die wij onmogelijk passief over ons heen kunnen laten gaan. Wij zien, als Nederlanders, terug op een trotse traditie. Wij namen de Iberische joden op toen zij door de Spanjaarden en Por-tugezen ten dode toe werden vervolgd. De bedreigde Hugenoten zijn inmiddels allang een geïntegreerd deel van onze samenleving geworden. Wij zijn zo ongeveer de rijkste natie ter wereld. Ook dit schept verplichtingen. Daarom doe ik een appèl op u. Geef geld. Geef goederen. Maar bovenal: Bied onderdak aan die arme don-ders die door God en iedereen verlaten aan onze grenzen staan. La-ten wij eerlijk zijn. Wij hebben allemaal, ikzelf niet uitgezonderd, wel een plaatsje in onze woning waar deze ontheemde en straat-stervensarme mensen, in afwachting van betere tijden, het hoofd kunnen neerleggen. Ik besef dat het een ingreep is in uw privé-be-staan, een ingreep die niettemin – dat weten wij allemaal – niet te vergelijken is met de ingreep in het bestaan van mensen die van het ene moment op het andere de verschoppelingen van Europa zijn geworden. Dus daarom, landgenoten…'

De staatssecretaris voor vluchtelingenzaken sloot zich bij deze oproep aan. Gevolgd door de fractievoorzitters van bijna alle partijen. En alle burgemeesters des lands, exclusief die van Wassenaar en Aerdenhout. Dezelfde avond liep het al telefonisch storm bij het speciaal ingerichte meldpunt. In het late *Journaal* liet de ontroerde minister-president weten dat hij er trots, gewoon trots, op was de premier van dit Nederlandse volk te mogen zijn.

De ideale mens is eigenlijk een product van halfreactionaire romantiek. Over de wat minder ideale mens, met zijn aardigheden en eigenaardigheden, hebben wij, bewoners van een tamelijk beschaafde natie, over het algemeen niet zoveel te klagen.

PERSONENREGISTER